目次

第1章　アナキズム・イン・ザ・UK

第2章　音楽とポリティクス

オンガクハ、セイジデアル

MUSIC IS POLITICS

写真撮影　著者

文庫版まえがき

この本には二〇一三年に刊行された単行本『アナキズム・イン・ザ・UK』収録のエッセイの一部と、同書が出てからも続いていたele-kingの同名連載の一部、そしてわたしの個人ブログや雑誌版ele-kingに発表された記事などが収められています。この本の半身とも言える『ジンセイハ、オンガクデアル』と本書の違いは、本書にはさらに政治的な色合いの濃いものが入っているという点です。

収録されたエッセイの中で最新のものは、バンクシーとジュリー・バーチルについて書いたもので、それを執筆したのが二〇一五年十二月だったと言えば、いかに古い文章が入っているかがわかっていただけるでしょう。

それほど前に書いた文章をまとめた本なのですから、本来なら政治的に英国で二〇一五年から二〇二二年までに起きたことをいろいろ説明すべきなのかもしれません。が、この怒濤のように動乱してきた国で生きていると、いちいちそれを書いているとそれだけで一冊の本になってしまいます。ですから、そこを知りたい方は『ヨーロッパ・コーリング・リターンズ』（岩波書店）や『ブロークン・ブリテンに聞け』（講談社）あたりを読んでいただければ、キャッチ・アップしていただけるのかなと思います。

ちなみに、本書に「ヨーロッパ・コーリング」という題名のエッセイが収めてありますが、これは二〇一六年に岩波書店から刊行された単行本『ヨーロッパ・コーリング』のタイトルのネタ元です。その事実ひとつをとってもわかるように、ここに収められているのは、後に新聞に連載したり、本になったりしたわたしの政治・社会時評の原点というべき文章たちです。これらの文章を読んだ編集者さんから連絡をいただいて「Ｙａｈｏｏ！ニュース個人」に書かせていただくようになり、それがきっかけで後のほとんどの仕事に繫がっていったのですから、本書収録の記事たちがなければ現在のわたしはいないと言って間違いありません。

本書刊行のための原稿整理の段階で、それらを読み返していてまず思ったのは、なんやかんや言ってけっこう絶望していたな。ということでした。無闇にきらきらした希望について書こうとしていないのは、商売っ気がなかったからに違いありません。

次に思ったのは、古い記事たちではありますが、その中に、後に英国で起きたことの伏線が随所に見られるということ。

例えば、本書に収められたエッセイの中に、うちの連合いが欧州議会選でUKIPに入れるとか言い出して離婚問題に発展しかけたという記述がありますが、本書のいくつかの文章に見られる、左から右に地べたの人々がジャンプし始めていた感じは、その後のEU離脱とか、労働党の牙城だった地方の町のいくつかが保守党支持に回った昨今の現象と一直線に繋がっています。

そう考えると、社会は一朝一夕にいきなり動乱するわけではなく、だいたいその兆しが五年から十年前にはあるのでしょう。

わたしは、真面目に潜入ルポとか書いているノンフィクションライターでもないし、単に自分の生活のことや身の回りのことを書いているだけじゃないかとよく言われるので、バカヤロウ、こちとら人生をかけて英国の潜入ルポをやっとるんじゃ、と酔ってくだを巻くことがありますが、数十年単位の定点観測を行っている者にしかできないことは、もしかするとこの兆しを記録していくことなのかもしれません。

とはいえ、実のところ何よりも強く感じた感想は、「ここに収められた文章たちはいったい何なのだろう」ということです。

政治・社会時評のようでもありながら、音楽評論みたいでもあり、エッセイでもあり、日常雑記でもあり、何物なのか、ジャンルがよくわからない。この混然一体としたDIY感は、やはりパンクの影響であろうか。と自分では思ったのですが、さて、みなさんはどう思われるでしょう。

ブレイディみかこ

pashe

SALES
TEL: 01273 915400
thepropertyshopbrighton.co.uk
RENTAL

GBLiners
Liners

第1章　アナキズム・イン・ザ・UK

出戻り女房とクール・ブリタニア

八〇年代に英国とアイルランドを行き来し、いったん日本に帰国したものの、再渡英して現在に至っているわたしとUKとの関係は、いわば古亭主と出戻り女房のような関係と言えるが、わたしが出戻って来た九六年というのは、ブリットポップの時代であった。

それは、長々と続いた保守党政権が末期の瀕死状態になっていた年で、トニー・ブレアの労働党が支持層を広げまくり、「世の中は変わる」という空気が満ち満ちていた。八〇年代の英国しか知らなかったわたしは、「へっ？　英国ってこんなにポジティヴなところだったっけ？」とたいへん訝しく思った。

日系新聞社の駐在員オフィスの学生バイトとして、編集部の電話取りや使いっ走りをやっていたわたしは、九六年から九七年にかけてのメディア人たちの高揚感を覚えている。ジャーナリスト街として知られているフリート・ストリートのフォト・プリント屋に行っても、新聞社に資料を借りに行かされても（現在のように何でもオンラインで入手可能ではなかった)、そこで見かけるメディア人たちは、皆、仕事をしていた。というか、「今が仕事をする時だ」というムードが漂っていた。みんな腕まくりで世の中を変える歯車をプッシュしようとしているというか、一丸となって前方に転がろうとしている感じがあった。

で、九七年にブレアの労働党は大勝をおさめて政権を取るわけだが、もう嫌になるほど耳にした選挙戦での労働党のテーマ曲はディー・リームの"Things Can Only Get Better"。思いっきりベタである。が、国民はそれに乗ろうとしていた。いやー。何、このUKのUS化。と違和感をおぼえたのは言うまでもないが、ひとつだけ鮮烈に記憶しているのが、総選挙の直前(前日の晩だったような気もするが違うかもしれない)に見た単発ドラマのことである。

当時、キングスロードにある金持ちの老人夫婦の屋敷に下宿していたわたしは、この老夫婦(爺さんの方は日本人の血が半分入っていた)と一緒に当該ドラマを見ていた。それは総選挙で大勝する架空の政党の党首とその周囲の政治家たちを描いた話だった。「見栄えがして、若くて、スピーチがうまい」というそれだけの理由で首相の地位を勝ち取る、〝セレブリティー系〟とでも呼べるような軽薄な政治家を描いた風刺ドラマである。

もちろん、主人公の名前はトニー・ブレアではなかったし、他の登場人物にしても同様であった。今となっては放送局すら覚えていないし、タイトルも、出演俳優の名さえ覚えていない（というか、当時はテレビ俳優など、顔を見ても誰が誰だかさっぱりわからなかった）が、おそらくチャンネル4か、意外とBBCだった可能性もある。

こういうドラマを総選挙直前に放送するのって、ちょっと凄いんじゃないか。と思った。

「日本じゃあり得ない。これって、ブレアのことですよね」

と、わたしが言うと、

「英国民は、彼が実はこういう人物であることを知っている。ちゃんと知っていて、それでも一票を投じるんだ。ということを伝えておきたいドラマだと思う」

と大家の爺さんは言った。

翌日、バイト先の政治部記者に「夕べ、面白いドラマがあったんですけど」と話してみたが、彼は別にそんなもの見てもいないし、興味もなさそうだった。が、以後、トニー・ブレアという政治家を見るとき、わたしの脳裏からあのドラマが離れることはなかったのである。

発足当時のブレア政権は、トニー・ブレアをフロントマンに据えたバンドのようだった。

「ブレアの右腕」と呼ばれ、「英国初のゲイ首相になるのではないか」と言われた閣僚ピーター・マンデルソンが流麗でサイケなギターサウンドを聞かせれば、ベルファスト合意を実現させ、〝初の労働党女性首相になるのではないか〟と言われた北アイルランド担当相モー・モーラムがド肝の据わった変速ベースを奏でた。金融政策の大転換を決行してサッチャーを唸らせた財相ゴードン・ブラウンはどっしり安定感のあるドラムを叩き、「国民の読み書き&算数能力の底上げ」と「幼児教育の充実」に力を注いだ全盲の教育相デイヴィッド・ブランケットはバック・シンガーとしてブレアの歌声に厚みを加えていた（なんでこの構成がすらすら書けたかな。と思う時、どうも昔、こういうバンドをコメディ番組で見たような気がする）。

成功する組織が常にそうであるように、労働党にはキー・プレイヤーが揃っていた。しかも、ゲイや女性、障碍者をキー・プレイヤーに含むことで、金融・経済政策は著しく保守党化していたにも拘わらず、リベラルで進歩的な印象を保つことに成功したのである。

このスーパー・バンドを従えて歌うブレアには、史上最強の黒子、アリステア・キャンベルがついていた。首相官邸戦略情報局長（早い話がブレアのPR担当）のキャンベルは、タブロイド紙（『デイリー・ミラー』）の元政治記者で、眼光鋭い敏腕のスピン・ドクターであった。そもそも、スピン・ドクターという言葉じたいが彼から生まれたものであり、「チャーチル以来のスピーチの名手」と言われたブレアの演説を書いていたのはキャンベルだし、「ニュー・レイバー、ニュー・ブリテン」のスローガンも、くだんの"Things Can Only Get Better"も彼のアイディアだった。

ブレアをモデルにしたロマン・ポランスキー監督の『ゴースト・ライター』という映画があったが、現実には、ブレアのゴースト・ライターはキャンベルだったと言えるだろう。二〇〇八年に出版され、BBCのドキュメンタリー・シリーズにもなった『The Blair Years : The Alastair Campbell Diaries』を読むと、この鬱気質の元ジャーナリスト（精神科に入院していた過去もある）が、プレッシャーに苛まれて泣きながら書いていたというスピーチが、どれほど国民の気持ちを高揚させる内容だったかということには驚かされる。総選挙直前や、イラク戦争前に米議会でスタンディング・オベーションを受けた時のブレアの演説内容は、もうアゲアゲ系としか言いようがない。また、それを見事に演じきったブレアもプロだった（だいたい彼は「本当は政治家じゃなくて、ロック歌手になりたかった」と公言した人間であり、実際にその道を目指していた男である。彼にとって演説とは、ライヴ・パフォーマンスであった）。いつ見ても躁状態のブレアが光なら、鬱気質のキャンベルは影だった。トニー・ブレアという政治家は、このYin & Yang（陰と陽）な男たちの合体作だったのである。

一般にトニー・ブレアが犯した罪と言われている事象は、イラク戦争を筆頭にして大小いろいろあるが、音楽ファンに今でも語られているのは、彼はブリットポップを殺した男だったということだろう。

ブリットポップとブレア政権はともにあり、相乗効果で「クール・ブリタニア」の時代を作ったと言われることが多いが、実際には、ブリットポップが終焉を告げた瞬間とは、政権を握ったブレアがロック・ミュージシャンたちを官邸に招待した日だ。ロールス・ロイスで乗りつけたノエル・ギャラガーとアラン・マッギーがブレアと談笑しながら首相官邸でシャンパンを飲んだ日。アーティストが政権のPRの道具として使われた瞬間に、ブリットポップはその一切の信憑性を失ってしまった。と、いまだにビターな筆致でもって『NME』や『ガーディアン』紙が書くことがあるが、あれにしても、キャンベルのPR戦略のひとつだった。

キャンベルは、ロック好きの元反逆者トニー・ブレア。というイメージが、英国民に熱狂的に支持されることを知り抜いていた。弱冠四十一歳のブレアが率いる、ロックでクールでリバタリアンな国。それが「クール・ブリタニア」の虚構イメージだったとすれば、人びとはそれにまんまと騙された。いや、騙されたふりをしたと言ったほうがいいだろう。タブロイドの記者だったキャンベルは、英国の人びとが、陳腐なドリームに騙されたふりをして明るい気分になるのが意外と好きであることを、経験から熟知していた。

が、「クール・ブリタニア」は、その後、ブリットポップの終焉とともに崩壊することになる。クールどころか、気がつけば英国民はイラク戦争の戦犯の片棒を担ぎ、アラブの子どもたちを殺すために税金を払っていたのである。

アゲアゲ系のPR先行政治に騙され、うっかり理性を失っていた。という英国民の反省は、英国で「史上最高の首相」投票がある度に、ブレアは常にサッチャーに負けているという事実からもわかる（一位チャーチル、二位サッチャー、三位ブレアの順番は不動だ）。

実は、ブリットポップの全盛期は、ブレア以前の一九九三年から一九九六年のことだった。ブリットポップは、サッチャー時代から長々と続いた保守党政権が終わりに近づき、不況から好況へ、閉塞から開放へと世の中が変わることを人民が切望した時代の音楽だったのである。

そのムードを利用して登場し、ブリットポップを惨殺したのはブレア（&キャンベル）だが、あの首相がしょっちゅうギターを抱えて写真に撮られていたので、ロックじたいがダサい中年政治家のPRツールみたいなイメージになってしまい、若者はもはやロックというものに何らの信憑性もロマンも感じなくなってしまった。

「出戻り女房」が、この国に戻って来て以来、昔は格好良かった古亭主の現在のロックというものにぶっ飛ばされたことが一度もない、というのもその辺りが関係しているのかもしれない。

もしもそんなことが再びあるとすれば、それは世間がようやくトニー・ブレアという男を忘れ去った現在なのかもしれない。

真っ暗な保守党政権の終わりを人民が切望し、ヤケクソでもオプティミスティックなことを言わないとやってられないという点でも、今という時代は、ブリットポップの発生期に酷似している気がするが。

（単行本時の書き下ろし）

フディーズ&ピストルズ随想

うららかな休日の午後。最近歩くことが楽しくて仕方がないらしい十八か月の坊主を連れて公園へ。バギーから子どもをおろして芝の上を歩かせながら、ああいい気持ち。なんつって爽やかな気分で青一色の空を見上げていると、正面からふたりのフディーズが近づいてきやがる。

なんだなんだこんな天気のいい日にねずみ色のフードなんか被りやがって。脳が蒸れて腐るぞ、そんな頭巾で頭を覆っていると。と思いつつ見ていると、ひとりがチェーンとおぼしきものを右手に持ってぶるんぶるん振り回している。で、そいつがふと目が合った拍子に言いはじめたのである。

「ニーハオ、ニーハオ、ニーハオ、ニーハオ、ニーハオ、ニーハオ」と連続で二十回ばかり。「ニーハオ」はこの界隈ではオリエンタル人種へのからかいワードのナンバーワン、っつうか、やっぱ地方の貧民街に住んでいる白人なんつったら極東に中国以外の国が存在することなんか知らないので、東洋人はみんな「ニーハオ」なのであり、この言葉自体は言われ慣れてても何とも思わないのだが、どうにも腹が立つのがチェーンのぶるんぶるんである。

中国人の女だし、子連れだし、格好の標的じゃんかよ、とか思って、弱者（とおぼしきもの）を威嚇して休日の午後をエンジョイしているのである。たかが十二〜三歳のガキが。

「わたしは中国人ではありません。コンニチハ、という言葉をご存じですか？　脳が腐ってるのですか、あなたがたは」

と以前のわたしなら立ち向かっていたところだが、ふと目線を落としてみれば、まだ他人を疑うことを知らぬ十八か月の坊主が、あろうことかにこにこ笑いながらフディーズのほうに歩み寄っていくではないか。

「いかんよ、そっちに行ったら、ほら、こっちに来んしゃい」

いきなり博多弁になりながら坊主を抱き上げてバギーにのせ、フディーズに背中を向けてわたしは歩き出した。この時点でわたしの頭に浮かんでいたのは、ふたりの十歳の少年たちに暴行の限りを尽くされて死亡したリヴァプールの二歳児の話である。

こりゃいかん。

わたしはさっさとバギーを押して公園から出た。

ううううう。守るものができると弱くなるのね人間って。

背後からは「ニーハオ、ニーハオ、ニーハオ、ニーハオ」がエンドレスで聞こえていた。

「だからフディーズは理解できないんだよ」

帰宅途中で会った隣家の息子は言った。天気がいいので道端で母親の車を洗うなどという感心なことをしておったのである。つくづく大人になったもんだ、彼も。

「無視して帰ってきたの正解だよ。よちよち歩きの子どもをチェーンで攻撃している様子を携帯でビデオに撮ってYouTubeに投稿するとか、あいつらそういうこと本気でやるからな。ほんでまた、喜んで見るやつがいっぱいいるんだよ、そういうビデオを。まったく腐ってるぜ、あいつらの頭の中も、この国も」

最後の非サイバー系ティーンエイジ・ギャング世代だった元ジャージの隣家の息子はそう言う。

「ムカつくけど、どうしようもねえな、黙って歩き去る他に」

帰宅すると、七〇年代パンク・リアル体験世代であるところの連合いおよびその友人が言った。

「あいつらはもうわかんねえもの、何考えてるか」

「そうそう。わかんないものには近づかないほうがいい」

でも、本当に貧民街の不良少年たちの頭の中が激変するなんてことがあるんだろうか。とわたしは思う。着ているものや聴いている音楽は時代とともに変化するだろうが、彼らが不良になったり非行に走ったりする原因はそんなに昔と変わらないはずだ。ノー・マネー。ノー・セックス。ノー・ファン。ノー・フューチャー。

男の子が暴れる理由なんて今も昔も同じだろう。

金があれば、退屈な近所なんかうろうろしてないで街に出てショッピングなんかを楽しむだろうし、懇ろな関係の女性がいれば性愛の歓びで人間的にも穏やかになるだろうし（実際、これでティーンエイジ・ギャングを卒業する子が一番多いような気がする）、何か楽しいことや、将来に対する希望があれば自暴自棄になって暴れる必要もないのである。

そういうことを考えれば考えるほど、パンクというのはきわめて特殊なムーヴメントだったのだと思えてくる。

そもそも、日本でも「パンクはヤンキーに殴られていた」（by町田康）と言われているる通り、本国英国でも、パンクというのはアートスクールや大学に通っているミドルクラスのお坊ちゃま&お嬢ちゃま層から火がついたカルチャーであって、「パンク＝Do It Yourself のスピリッツ」なんつうかっこいいコンセプトを考えついたのも、こうしたインテリジェントな若者たちであった。ふつう地方の貧民街の悪ガキども（英国版ヤンキー）は、こういう理屈っぽそうで最先端っぽい流行にはのっからない。が、パンクが下層ヤンキーたちまでとりこむことに成功したのは、セックス・ピストルズの存在以外の何物でもなかっただろう。ピストルズと並びパンクの両雄などと言われることの多いクラッシュだけでは無理だった。それは「俺、クラッシュはわりとどうでもよかった」派が連合いの友人らの中でも圧倒的に多いことを見てもわかる。

ピストルズのメンバーには、いくらヴィヴィアンやマルコムに着飾らせられていても、なんか顔つきは俺たちみたいじゃん、みたいな部分があったのである、貧民街の若者たちにしてみれば。そしてその部分が芝居やポーズではなく本物だったからこそ、「彼らは俺らの代弁者」「奴らに出来るんだったらきっと俺にも」みたいな気分になって自らギターを握ってみたり、マーケットにストール出して自分でペイントしたTシャツを売りはじめたりして、本物の非行少年たちまで自分の手で〝ノー・ファン〟な状況を打破しようとしたのだ。

そう考えれば、パンクというのは何とポジディィヴなムーヴメントだったのだろう。

「どんどんわけがわからなく、残忍で、暴力的になってゆく」

と言われている貧民街の子供たちの荒れっぷりを見るたびに思う。

パンク以降、彼らに真の意味でポジティィヴなヴァイブを与えたユース・カルチャーがあっただろうか？　彼らまで取り込んで国中に広がった、インテリ・キッズのムーヴメントがあっただろうか？　上層と下層が渾然一体となってスパークする輝き。そんなものが、きっとこの国のパンクにはあったに違いない。

「フディーズに必要なのは愛だ」と発言して、「アホかあいつは」「現実を直視しろ」とマスコミに袋叩きにされたのは保守党のお坊ちゃま党首デイヴィッド・キャメロンだが、彼らに必要なのは愛ではない。

英国には、新世代のピストルズの出現が必要なのだ。

（初出：THE BRADY BLOG　二〇〇八年二月十七日）

勤労しない理由――オールドパンクとニューパンク①

「フディーズ&ピストルズ随想」というお題で拙ブログで書いたことがあるが、ついにファッション界のパンク・リヴァイヴァルの波が地方の末端ティーンズにまで到達した感のある昨今、本当にフディーズとパンクが合体したとしか言いようのない少年たちが街を歩いているのを見かけるようになった。

革のライダースジャケットの下に黒のパーカー（フードは常時被る）、昨今ではスキニーと呼ばれているらしい（おばはんの時代の用語で〝黒のスリム〟）細身のジーンズを半ケツが出る高さまでずり下ろしてパンツのゴムを見せながら穿き、腰回りにはシルバーの鎖をじゃらじゃら下げつつ、しかし足元はラバーソウルでなく軽快にハイカットのスニーカー。

この21ｓｔセンチュリー・パンク・ボーイズを最初に見た時、わたしは爽やかな感動すら覚えた。過去二十年ばかり、いにしえのパンクに憧れてそれらしい格好をする若者たちは後を絶たなかったが、これほど七〇年代から剝離した着こなしは見たことがない。もはや彼らにはヴィヴィアン・ウエストウッドの〝クチュール・パンク〟は必要ではなく、そこら辺のスーパーで売っているパーカーと半分出した尻がクールのポイントなのである。実にブリリアントだ。リヴァイヴァルというのは、このようにある種の疑念と諧謔をもってオリジナルを憧憬しリスペクトするものでなくてはならない。

というわけで個人的に鼠男系パンクたちには弱いので、先日底辺生活者サポート施設の〝ヴォランティア・デイ〟でまさにそれ風の若者が隣に座った時にはどぎまぎしたのだったが、そんなことよりも真の問題はこの〝ヴォランティア・デイ〟であった。大変に濃厚なイベントであると聞いていたし、ハードコアな無職者が集うらしいので昨年はパスしたのだが、種々のしがらみがあって今年は逃げ切れず、グループ・ディスカッションの時間帯に参加させられることになったのである。

円形に配置された椅子のひとつに嫌々ながら腰かけると、右隣に鼠男系パンク、左隣にはあろうことかNが腰かけてきた。この人は七〇年代のパンク時代にバンド活動をしていた御仁で、周囲がパンクだのバンドだのを卒業して就職したり、結婚して父親になったり、会社で昇進したりしていく中で、いつまでも革のライダースジャケットを着続け、黒のスリムことスキニージーンズを穿いて二十五年間も無職を貫いてきたおっさんだ。

　このように、いわばオールドパンクとニューパンクに挟まれて、「なぜ私はヴォランティアとして働くのか」というテーマでのディスカッションに参加せねばならなくなった我が身の不運を呪っていると、のっけから進行役の女性がわたしに質問をふってきた。

「あなたは、どうしてヴォランティアとして働いているのですか？」

「保育のコースを受けようと思ったんですが、無給、有給にかかわらず、どこかですでに子ども相手に働いている人でないと当該コースを受ける資格はないということが判明したので、とりあえずここでボランティアすることにしました」

　みたいな面白くもなんともないことを喋ると、よせばいいのに進行役は同じ質問を隣のNにふる。

「俺がヴォランティアとして働くのは」と言って彼はもったいぶって深いため息をつき、意気揚々と演説をはじめる。

「俺は二十五年間ボランティアとして労働してきた。対価をもらって労働している人間が、世界や人間のためになる仕事をしているとは思えないからだ。企業がやっていることを見てみろ。みんな環境を破壊することしかしていない。企業の社会貢献なんてことが騒がれるようになって、どこの企業もプロパガンダとしての社会貢献ゲームをするようになったが、所詮イメージづくりのための貢献は長期的に見れば世界にとってダメージになることばかりだ。営利を目的にした途端に、ビジネスは全て人間のためにならないことになる。だから自分は営利を目的とせず、対価をもらわずに労働するんだ」

英国（とくにブライトンのようなリベラルな街）にはこのタイプの長期無職者がけっこうおり、彼らが中心となって運営されているチャリティ団体がある。彼らはアナキストと呼ばれ、集団で畑を所有して無農薬野菜を作り団体の中で流通してそれを食べて生活したり、フェミニズム、同性愛、環境問題、難民問題、動物愛護などの問題に関して極左的立場から流血の抗議運動を繰り広げたり（ということは近年めっきり減り、ラディカル本のライブラリー経営、オーガニック食品の販売などのソフトな方向に活動の軸が変化しているので、旧ヒッピー&旧パンクな高齢メンバーは怒っているようだが）しており、そうした団体で働いている人びとは全て無給のヴォランティアである。ブライトンのロンドン・ロードにカフェを持つ某C・Club（Oxfamと一ポンド・ショップの間にあると書けばローカルな方々はもうおわかりだろう）などはその格好の例だ。

無職。というと、何もしないでだらだら家にいる人のイメージが強いが、こうした人びとの場合はそうではなく、毎日きびきび労働している。が、それが利潤を生み出す企業・団体のための労働ではないので還元される賃金が存在しない。英国にはこの種の無職者がけっこう存在し、彼らは〝ミリタリー系〟無職者と呼ばれている。何故

ミリタリー系なのかというと、軍隊の軍人並みに毎日しゃかしゃか熱心に働いている
し、社会や政府を相手に〝戦っている〟意識が強いからだ。

そんなわけで放っておけば何時間でも熱く喋り続けそうな〝ミリタリー系〟Nの話をなんとか終わらせ、進行役は他の人びとにも同じ質問をした。

「無職の年数が長過ぎて、働く自信が無くなりました。それを回復するためにヴォランティアしています」「無職でずっと家にいると他者とのコンタクトに餓えます。それを何とかするためにヴォランティアをはじめました」などのよくある発言が出回った後で、わたしの右隣に座っている（おそらくグループで最年少の）フディーズ・パンクの番になった。

「あなたは、どうしてここでヴォランティアしているのですか」

進行係に尋ねられた鼠男系パンクは、ふふん、と不敵な笑いを浮かべ、喋りはじめた。

「俺がヴォランティアをしている理由は、世の中のためではなく、自分のために何かをしたいからだな。実際、無償で働くっつったって、人間は金がなきゃ食っていけないんだ。で、どこからその金が出ているかって言ったら、政府だろ。そこの、ヴィンテージのライダースジャケット着た人も、失業保険もらってるんだろ？　じゃなきゃ、

二十五年もヴォランティアなんてふざけた生き方、できねえよな」

わたしは左脇のオールドパンクの肉体からどよどよとした気炎がたちのぼるのを感じながら右脇に座っているニューパンクの傲慢な横顔を見ていた。ああもうほんとにろくでもない場所に座ってしまったなあと思いながら。

（初出：THE BRADY BLOG　二〇〇九年四月九日）

勤労しない理由――オールドパンクとニューパンク②

「俺は働かないで政府から金もらいながら好きなことやってるんだ。ま、自分の場合、やりたいことって音楽なんだけどね。ヴォランティアしているっていうと失業保険事務所で係員と喋るときの印象もアップしてすんなり金がもらえるし、将来音楽で生計が立てられなかった場合に、ここでヴォランティアしている経験が役に立って金をもらえる仕事にありつけるかもしれないじゃん。一石二鳥。って感じかな。俺がヴォランティアしている理由はごくプラクティカル。失業者に思想はいらねえ」

鼠男系パンクがはきはきと吐くその発言に、Nの顔がぎりりと歪む。

「自分、自分、自分、って。貴様らはいつもそうだ。他人のことはどうでもいいのか！　世界に何が起きているかなんて貴様らは考えてもみないんだろう」

Nが言うと鼠男系パンクは答えた。

「世の中って、MEの集団だろ。あんただって、自分はあくまでもMEで、社会の一部であるよりもかけがえのないこのMEでありたいと願うから、政府に税金を払わないで、他人の税金を還元してもらって好きなことやって生きてるんだ」

「俺は好きなことをやっているのではない。そういう次元のことではなくて、世の中の役に立つことをやっているんだ」

「リサイクリングや無農薬野菜栽培が？　環境問題で世の中が救えると本気で思っているあんたは、とんでもなくナイーヴな人だな」

くすくす、と笑う鼠男系パンクにいよいよぶち切れたらしいNは、がたんと椅子を後方に倒しながら立ちあがる。

ひいい、頼むから人の頭の上で殴り合いだけはやめてくれ。と思いながら身をかがめていると、「貴様のようなガキに何がわかる！　パンクってのはなあ、ファッションじゃないんだ、生きざまなんだ。あくまでも世に警鐘を打ち鳴らし、オーソドックスを疑い、否定し、迎合することを忌み嫌う、その絶えることのない不変のアティテュードなんだ」と大声でNが怒鳴った。わたしの頰に彼の唾が打ちかかる。

と、その時、「大きな声を出すのはやめてください」と涼しげな声で言いながら近づいてきたのはアニー（レノックス似の底辺託児所責任者）だった。彼女は付設託児所だけでなく、底辺生活者サポート施設全体の責任者のひとりでもあるので、このイベントを仕切っているのだ。

「このセンターには、さまざまな理由でヴォランティアを行う人びとが来ています。

そして、当センターのモットーは〝寛容〟です。自分とは違う認識や考え方を持つ人びとを認め、リスペクトするというのが我々の信条のひとつなのです。私はこの考え方を五歳以下の子どもたちにも教えていますよ。それが大人に徹底されていないのは、悲しいことですね」

鶴の一声。みたいな感じでNは静かになった。

「議論はたいへんに結構です。が、あくまでも冷静に、他者をリスペクトしながら行ってください」

にっこり。と柔和ながらも凄味のある微笑を浮かべてアニーは去っていく。さすがにこういう人びとの扱いに慣れているというか、底辺アダルトの対応もプロである。

「ふん。所詮あいつは学校の先生なんだよ」

アニーの姿が遠ざかってから、Nが小声で言う。その姿はまさに先生に叱られた子供のようだ。鼠男系パンクの方は、くすくすくすフードの陰でおかしそうに笑っている。

あまりにも分が悪いな、この状況は。と思った。これではあまりにも新パンクがクールで、旧パンクがアンクールだ。Nだって、戦うパンクが格好いい時代にはけっこうクールだったのかもしれず、鼠男の〝音楽（または文学、芸術）やりたいけどそれだけじゃ食えないから失業保険もらう〟にしたって、何も新しいライフスタイルではなく、UKでは古典的な生き方なのであって、Nだって若い頃は同じ地点にいたのだ。

鼠男から見れば、Nみたいなおっさんはどうしようもないルーザーに見えるだろう。音楽をやりたいという〝ドリーム〟の諦め時、引き際、というものを知らずに、ずるずる失業保険もらって生きていたら、いつの間にか何らの換金可能スキルもない雇用不能な中年男になってしまい、そんな自分を直視するのが辛いので社会が悪いのだと考えることにして、流血の抗議活動などに夢中になっていたら、頼りにしていたアナキスト団体ですら時代の流れとともにソフト化し、「戦うより地球にやさしくなりましょう」ってんで、気がついたら革のライダースジャケットにゴム長はいて畑を耕すじいさんになっていました。などという人生は、希望に燃える若者から見れば、あまりに侘し過ぎる。

が、そんなNを笑う鼠男だって、現在は自分の好きなことで生きていこう、駄目だった時には見切りをつけてきちんと社会人になろう、と思っているかもしれないが、二十五年後はNになっている可能性だってないとは言えない。思っていることと現実とはいつでも食い違うものだからだ。

失業保険給付はいつの間にか生活保護給付へと切り替わり、その気になってうまく立ち回れば政府から金をもらいながら半永久的に生きていけるこの国で、〝ドリーム〟に見切りをつけるのがどれだけ大変なのかは、夢に生きている若者にはわからないことだろう。

オールドパンクとニューパンクは親子のようなものなのだ。同じコインの、思いきり錆びた裏面とぴかぴかの表面のようなもので。


その後も新旧パンクたちの意見の衝突はあったが、アニーが部屋の隅から目を光らせていたせいか大事には至らず、ピースフルにディスカッションは終わった。

互いを牽制し合いながら椅子から立っていったふたりであったが、某スーパーから寄付された賞味期限本日付のパンが食堂で無料配給されていることを知ると、オールドパンクもニューパンクも我を忘れたようにカウンターの前に駆け寄り、公営団地ジャージ系シングルマザーや、全身から尿とアルコールの匂いを漂わせている天然ドレッドロック系ホームレスなどに混じって食パンやロールパンの配給を受けている。

縦横無尽に生きているはずのパンクもパンが欲しくて並ぶのだ。まじめに勤労している人びとからすれば、しょうもない屁理屈をこねている暇があったら、働いて自分の金で賞味期限の切れてないパンを買え。と一喝したくなるような話だろうが。

ふと窓の外を見下ろせば、付近にあるオフィスビルの窓から、紅茶片手に新聞を読みながら欠伸しているスーツ姿のおっさんと、死んだ鯖のような目をしてぼんやりと空を見上げている若者の姿が見える。

まじめに働いている気配はそこにもあまり無いように感じられたのは、たぶんわたしの気のせいだろう。

時間を売ってパンを買う人と、時間を潰してパンをもらう人。

同じコインの、裏表裏表。

（初出：THE BRADY BLOG　二〇〇九年四月十四日）

HAPPY?――パンクの老い先

久しぶりに、二年前までヴォランティアしていた底辺生活者サポート施設の付設託児所で働いた。どうしても人手の足りない日があるというので、有給を消化して手伝いに行ったのである。

二年も経てば、顔ぶれも変わっているだろう。というわたしの読みは甘かった。ゴム長靴を履いたオールドパンクのNも、昔は音楽ライターだったらしいけどいまは当該施設の食堂でヴォランティアしているAも、長期無職者たちは、まるでそこだけ時が止まってしまったかのようにそこにいた。

五年前、わたしがこの施設に出入りするようになって驚いたのは、十年や二十年単位の長いスパンに渡って生活保護を受けて暮らしている人びとの存在だった。そういう人びとのなかには、自らの主義主張のために労働を換金することを否定し、生活保護を受けながらアナキスト団体に所属してヴォランティア活動に励んでいる人びとや、昔は音楽やアートなどのクリエイティヴな業界で働いていたらしいんだけれども、クリエイティヴな仕事しかしたくないの。とか言ってるうちに気がついたら生活保護受給者になっていた。という人びとなんかもいた。

こうした国民のライフスタイルの多様性を可能にしていたのは労働党政権である。が、保守党政権下では無職者は激しい締め付けを受けているので、例えば、CRASS（アナルコ・パンクのムーヴメントを牽引し、ライフスタイルとしてのアナキズムを実践したパンクバンド）な生き方を信条とする五十代半ばのNは、職安に仕事を斡旋されて断ったため失業保険を打ち切られそうになり、タイムリーに脚の骨を折ったので打ち切りは見送りになったそうだが、これには、彼が公営団地の窓から飛び降りてわざと負傷したという噂もある。

元音楽ライターのAにしても、当該慈善施設のキッチンでチップスばっかり揚げているのが災いし、職安からフィッシュ&チップス屋の仕事を斡旋されて難渋しているという。そんなに難渋しなくても働けばいいんじゃないかと思うが、これらの人びとにとって、働く。ということがどれだけの難事で、面倒で、敗北を意味するのか、ということを知っているので、わたしは黙って話を聞いている。

「『俺らのように生きろ。俺らのようになることが模範的国民になることだ』っててのが、保守党の政治だ。自らの正当性を疑わない人間は、バカの最たるものである」と言いながら、Aは二年前と同じようにキッチンで芋の皮を剝いている。昔は音楽誌『NME』に書いていた。と彼が言った時には、こいつもホラ吹き野郎のひとりかな。と思ったが、彼の場合、八〇年代に活躍していた日本の音楽ジャーナリズムの人の名を複数知っているので、けっこう真実なのかも知れない。

一方、いつもゴム長を履いてアナキスト団体の無農薬野菜園を耕しているNについては、休刊したロック雑誌『ユリシーズ』にも書いたことがあるが（よく思い返せば、Aについても書いていた）、彼はアナキスト系オールドパンクであり、エコロジカルな都会型ヒッピーみたいな若手アナキストたちに笑われながら、いまでも己の信じた道を進んでいる。というか、いまとなってはもう他の道に移りようがないから。というほうが的確な気もするが、噂の左足をギプスで固めて松葉杖をつきながら、腐ったような革のライダース・ジャケットを羽織り、「ハーイ」とか言っている彼の姿を見ていると、つくづく思う。

ああ。パンクもこんなに老いた。

今年（二〇一二年）、個人的に大きな衝撃を受けたのは、ジョン・ライドンのある発言だった。

「俺は報われた。だから、俺はもっと世界に報いたい。いったいぜんたい、どうしてこんなに人生をエンジョイできるチャンスを俺に与えてくれたんだ？　こんなの、おかしい」

John Lydon Lollipop Blog Part3で、そう言いながら彼は目を潤ませた。

長年のライドン・ウォッチャーなら、そのうち彼がこういうことを言うんじゃないかという漠然とした予感はあっただろう。

表現メソッドとしては、いろいろトリッキーなねじれを見せる人だが、この人の根底には、筋を通したい。というのがある。喧嘩別れして空中分解し、死人まで出した青春のセックス・ピストルズで「おっさんたちの和解」を成し遂げたのもそうだし、マルコム・マクラレンへの追悼文のなかで「I will miss him」と言ったのもそうだった。最近の彼の言動に大団円的ハピネスの香りがするのは、何十年も心の奥に刺さっていた案件に、自分なりのカタをつけたからなのかもしれない。

無職者支援施設の食堂のクリスマスツリーに、今年は変化が見られた。

いやに侘しいのである。自宅にツリーを持ってない人や、ツリーを飾る場さえない人びとが集う場所なので、当該施設のツリーは金銀ぎらぎらとド派手なのが通常だったのに、今年は誰かが倉庫からツリーの装飾品をごっそり盗んで行ったという。

「でも、ツリーの装飾品なんか盗んでどうすんの」と言うと、

「大量にあったから、レストランとか、パブとか、デカいツリーを飾るところに持って行って安く売ったら、買う店はあるだろ」とAが言う。

同様のことはオフィスでも起こっているそうで、ペティ・キャッシュの金庫やPCも盗まれるようになったという。「ここには貧者たちのコミュニティ・スピリットがある」と言った人もいたが、追い詰められると人間のスピリットは摩滅するもののようだ。

ツリーの寂寥感を軽減するために施設が考案した苦肉の策は、クリスマス・カードをぶら下げる。というものであった。施設宛てに送られて来たカードや、施設利用者たちが受け取ったカードを持ち寄って、ツリーに下げているらしい。

「ピースフルな年になりますように」
「来年は、みんなに仕事が見つかるように」

ぶら下がっているカードの内側を読んでみると、「Wish」「Hope」といった言葉がやたらと多用されていることに気づく。様々な人間の願望を記した紙切れが下がったその木は、もはやクリスマス・ツリーというより、たんざくが垂れ下がった七夕の笹の木のようだ。

「ライドンが、『俺は報われた』って言ったの、知ってる？　PiL のギグをやっていると、そう思う瞬間があるんだって」

「また大げさなこと言ってるけど、要するに、ハッピーなんだろう」

「うん」

　Aは炊事場で手際良く大量のじゃが芋をチップス状に切って行く。

「最初にピストルズを見たのは、十五歳の時だった。批評心も何もない年頃だったから、神のお告げを聞いたようなもんだった」

　ロンドン北部の公営住宅地で育ったAは、「金は人を幸福にはしないが、人生における選択肢を与える。その選択肢の有無が、階級と呼ばれているものの本質だ」と言ったことがある。同じような境遇から出て来て、世界のありとあらゆるものを呪詛したジョニー・ロットンに、若き日のAは強い共感を覚えたらしい。

「俺にとっては特別なバンドだ。だから、彼がようやくハッピーになったのは嬉しい」

　と言って、Aは薄く笑った。

「なんとなく置いていかれたような気がするのは、こちら側の問題で」

　炊事場の外では、当該施設名物の、賞味期限切れの無料パンの配給がはじまった。

「フリー・ブレッド！」

という食堂係の叫び声と共に、ぞろぞろと施設利用者がカウンター前に並びはじめる。

ドレッド・ロックの白人ニューエイジ・トラヴェラーや、若いアンダークラス・シングルマザーたち。Aもエプロンを外しながら、Nも松葉杖をつきながら、列に加わる。

彼らは長年、この列に並んできた。

雨の日も、風の日も、雪の日も並んできた。

「この施設を使いたいのなら、きちんと（F）列の（F）後ろに並べ！」

Fワードをとばしながら脇から入り込んできた若きアナキストを、Nが叱り飛ばす。

しかし、激昂して怒鳴った瞬間に松葉杖から手を離したものだから、ふらふらと頼りなく体勢が崩れ、怒鳴りつけた当の青年から、「爺さん大丈夫かよ」か何か言われて体を支えられている。

彼は何十年もこの列に並んできたのだ。

労働を換金して賞味期限の切れてないパンを買うことより、労働しないで賞味期限の切れたパンを貰うことを選び、それを変えなかったのである。

Nにどやされたアナキスト青年は、バンクシーのグラフィティがプリントされたTシャツを着ていた。編み物をしている老女たちの絵に、こんなスローガンが書かれている。

PUNKS NOT DEAD THUG FOR LIFE

グホグホグホと痰の絡んだ爺さんのようなサウンドでNは咳き込んでいる。

ギプスで膨れた脚では、さすがにゴム長も履けなくなったらしい。十二月も半ばだというのに、オールド・パンクはサンダル履きだった。

そのどどめ色の靴下には、ぽっかりと大きな穴。

「雪が降ってきたよ」と誰かが言うのが聞こえた。

（初出：web ele-king Dec 13, 2012）

フェミニズムの勝利？　ふん。ヒラリーは究極のWAGだ

　週末にBBCニュース24の各国ジャーナリスト討論番組を見ていて面白かったのは、英国の女性記者のヒラリー・クリントンに対する見解が痛快なまでに辛《から》かったことである。いよいよ女性が米国大統領になるかもしれない。フェミニズムの勝利！　本格的な女性の時代の到来！　などと素直に喜んでいる女性たちもいる中で、英国の女性たちはわりとそうでもなく、醒めた目でヒラリーを見つめているようだ。

　中年以上の現代の英国人はふたりの〝鉄の女〟を知っている。ひとりは言わずもがな、マーガレット・サッチャー元首相。そしてもうひとりは、「腑抜けた息子には跡目をゆずれない」とばかりに八十を過ぎても王位に足を踏ん張り睨みをきかせているエリザベス女王。これらの強烈な女ボスを知っている英国人は、さすがに女性指導者を見る目が厳しく、ヒラリーはちょっと違うんじゃないかなみたいな見方が主流のよう。

　そもそも、ビル・クリントン元大統領がモニカ・ルインスキーとの不倫問題でスキ

ャンダルになり、「自分は挿入はしていない」などという、記者会見における米国大統領の発言としてはブッシュの一連の発言よりよっぽどシュールなことを言っていた頃、全世界の前で恥をかかされたヒラリー夫人が夫に三行半を突きつけずに踏みとどまったのは、「我慢するから、その代わり、私をこの国の大統領にしてちょうだい」というDEAL、つまり取引がふたりの間でなされたからだったと言われている。

で、現在、その約束どおりにクリントン夫は妻を全面的にバックアップしており、「オバマの父親はイスラム教徒だからヤバイ」と新聞に書かせてみたり、自らバラック・オバマの発言を罵倒してみたりと、今や陰からではなく表に出て来てお得意の〝個人攻撃、悪口挑発一本勝負〟でバトルしはじめたのであり、ああこれはヒラリーの選挙なのではなく、クリントン夫妻の選挙なのだなあ。と実感させられる。

浮気をして妻に許してもらった男性というのは、妻に対して大きな〝借り〟意識を持つものらしいし、ヒラリーがそれを最大限に利用して米国大統領に就任するというのであれば、これは〝フェミニズムの勝利〟というよりは〝人妻の逆襲〟なのであり、ヒラリーは〝鉄の女〟ではなく〝鉄の嫁〟だ。自分の野望のために夫の浮気を許した昔のヒラリーは、夫の浮気も笑って我慢して〝ベッカム夫婦〟というブランドを死守している現在のビクトリア・ベッカムとどこが違ったのだろう。

そもそも、飼い犬に手を噛まれた女は、噛まれる前と同じ濃さと容量の愛をもって飼い犬を愛することはできない。それを知っていながらも女が飼い犬を捨てないのは、男性の作家とかがよく書くような「ふたりにはヒストリーがある」とか「それでも愛がある」とかいうおロマンティックなことが問題なのではなく、ぶっちゃけた話そこに何らかの損得が絡んでいるからであり、庶民的スケールでいえば「離婚してもこの歳じゃ仕事もないし自立が難しい」「たいした資産もない夫からは、慰謝料や養育費なんかも期待できない」といった経済的理由が主になるわけだが、ファースト・レイディだったヒラリーの場合は、自らの野望の達成という目標のために、夫と別れない道を選んだのである。

WAG。という言葉は英国のマスコミが作り出した新語であり、WIVES AND GIRLFRIENDSの略語であって、有名サッカー選手の妻や恋人たちを指す。ここ数年、英国では、ビクトリア・ベッカムや、ウェイン・ルーニーの婚約者コリーン嬢などを筆頭としたWAGSたちの台頭がめざましく、女性のファッション・リーダー、オピニオン・リーダーとして活躍しており、自分自身の才能や仕事で有名になった女性たちより注目を集めるという状況が発生している。このWIVES AND GIRLFRIENDSの定義をサッカー界の外にまで広げるならば、ヒラリー・クリントンは究極のWAGであり、彼女はファッション・リーダーなどというチンケなポジションではなく、全世界のリーダーを狙っている。

ある意味、すっげー。ことではあるが、これはフェミニズム的には勝利というより後退だろう。

たとえヒラリーが大統領になったとしても、それは〝史上初の女性大統領の誕生〟ではなく、〝史上初のWAG大統領の誕生〟なのである。

ふん。一緒にしないでよね。

マーガレット・サッチャーがあと十歳若かったら、あの鉛のような重圧感のある声で、ぐふ、ぐふ、とせせら笑ったに違いない。

（初出：THE BRADY BLOG　二〇〇八年二月五日）

ザ・ワースト・マザー・イン・ザ・UK

「この国で一番悪い女」と呼ばれることに誇りを感じるだろう女性は、フェミニズム後進国と呼ばれるジャパーン（プリンセス・マサコ問題の英国での報道のされ方を見よ）にも一定数おられるだろう。

しかし、「この国で一番悪い母親」という言葉を自らの宣伝スローガンとして使える女性となると、いったい何人いるだろう。

悪女というのは、古今東西、常に魅力的な存在としてとらえられてきた。悪妻というのもけっこう好意的に受け入れられるコンセプトであり、「悪妻が男を育てる」と言う人は昔からある。

が、悪い母親。となると事情は一変する。「悪母が子供を育てる」と言う人はいないし、きちんと子供を養育しない母親というのは、人間的に劣等であるかのように見なされる。悪い母親は毒親となって子供の人格形成に悪影響を及ぼし、子供が成人してからも精神的外傷を残すためカウンセリングが必要になったりして云々と、なんかここだけは相変わらずドロドロしてずず暗い。

　女たちがいまだに「善良な母親」に見られようと努力するのもそのせいだろう。「善良な女」とか「善良な妻」とかはいかにも退屈そうだからなりたくないとしても、「善良な母親」の称号だけは死守しようとする。

　それは何のための称号だろう。

　女がどんなに社会的に成功し、偉業を成し遂げたとしても、「でも、彼女は悪い母親」と言われたら、その瞬間に全ての業績は台無しになり、人格破たん者のレッテルを貼られてしまうから、「善良な母親」は女の成功には必須の称号なのだろうか。男は別に父親失格者でも立派なビジネスマンや政治家や文化人でいられる。だが、女は違うのだ。母親失格者が社会的にリスペクトされることはない。

　というようなことを考えてしまうから、女たちが「グッド・マザー」の称号、または仮面を顔の上からずらさないようにして生きているのだとすれば、それは卑屈だ。「悪い母親」を禁忌にしているのは、世間でも男たちでもなく、当の女たちである。

　が、英国にはパンクごころのあるおばはんがいたもので、この人は「ザ・ワースト・マザー・イン・ザ・ＵＫ」を自称した。

「私は二度離婚して、二度とも幼い子供を旦那のところに残しておん出て来た。文句あっか」（本当は二度目の離婚では子供の親権を夫と争って負けているのだが、本人はめんどくさかったのか、釈明が嫌いなのか、ごく最近まで明かさなかった）と仁王立ちし、剃刀シャープにしてセンセーショナル、時に人を大笑いさせるようなコラムを書き飛ばして、英国の高級紙が争奪戦を繰り広げた伝説のライターになったのが、元『NME』のパンク担当ライター、ジュリー・バーチルである。

モラリストが一番嫌い。という彼女は、時に偽悪、あるいは偽バカではないのかと思うほどの無謀な言いたい放題をやる（「私はアイルランド人が大嫌い。嫌いなものはしかたない」など）。また、この人の特徴として、「バイセクのフェミニスト」、「労働者階級出身」、「超リベラリスト」という大筋のキャラクターから時折大きく逸脱し、たいへん右翼的な発言が飛び出すことがあり（イラク戦争支持とか、ムスリム批判とか）、右や左といったありきたりの思想のフレームワークでは語れない危険な書き手でもある。

一九五九年生まれの彼女は、「ヒップな殺し屋を求む」という『NME』のパンク担当ライター募集広告を見て応募し、最初の夫となるトニー・パーソンズとともに『NME』に雇われ、高校を中退して十七歳で入社している。そして十八歳の時に書いたのが、セックス・ピストルズの『Never Mind The Bollocks』の新譜レヴューだ。パンク全盛のロンドンを謳歌していた若い娘が時代に泥酔して書いたようなレヴューだが、「ジョニー・ロットンは新世代のオリヴァー・ツイストだ」という、一九七〇年代後半の英国とディケンズの時代を一瞬にして結びつけ、ピストルズを階級の視点から抉り出したブリリアントな一文が鋭利な宝石のように光っていた。

バーチルは二十歳になった時に「音楽について書くのは若者の仕事」と吐き捨てて『ＮＭＥ』を退社し、フリーランスとして社会や政治、映画、ファッションなど幅広い分野について書きはじめる。この頃、『ＮＭＥ』の同期ライターだったトニー・パーソンズと結婚するが、三年で離婚。バーチルに幼児を置いていかれたパーソンズは、シングルファザーになった経験を『ビューティフル・ボーイ』というベストセラー小説に書いている（彼はその後、バーチルとは全然違うタイプだという日本人女性と再婚している）。

バーチルも雑誌『Modern Review』を共同で立ち上げたジャーナリストと再婚するが、そのうち編集部で働く若い女性と同性愛関係になり（&この女性の兄とも恋愛関係になる）、やはり幼い息子を夫のもとに残して離婚している。

こうして「アナキー・イン・ザ・ＵＫ」ならぬ「ザ・ワースト・マザー・イン・ザ・ＵＫ」ができあがるわけだが、最低の母親を名乗ったバーチルは書き手としてのリスペクトを失うことはなかった。それどころか、『タイムズ』、『ガーディアン』、『インディペンデント』などの高級紙が争ってコラムを書かせようとするライターとなり、女性ライターとしてはＵＫ史上最高の執筆料を誇るコラムニストになる。

彼女の場合、政治や世相について書いていても、常に自らの経験や身近に起きていることを混入させる癖があるので、私生活で修羅場をくぐればくぐるほどその文章は面白くなる。が、それ以上に、「自分の子も育てない最低女」と自宣しながら（彼女は五回の中絶経験についても書いている）一切の保身を放棄して書くコラムは、ちょっと他にはない起爆力を持っていた。

バンクシーのグラフィティのひとつに、『LONDON CALLING』のジャケットのポール・シムノンがベースギターではなくオフィスの椅子を叩き壊そうとしているパロディ画があるが、ジュリー・バーチルは、ギターやオフィスの椅子ではなく、赤ん坊を振り上げて地に打ちつけようとしていた（ギター代わりにフライパンや掃除機を叩きつけた女ならいくらでもいる。が、赤ん坊という禁忌アイテムを打ち壊そうとしたのはバーチルだけだ）。

バーチルは偽善の香りのする女の言動には猛犬のように食らいついていく。リリー・アレンがリヴァプール出身のＣｈａｖ（チャヴ）アイドル、シェリル・コールをからかい、シェリルがそれに反撃した時にも、バーチルは猛然とシェリル擁護に立ち上がり、「ミドルクラス出身の人間が、自分より下の階級出身の人間について『悪趣味』だの『品がない』だの批判するのは、単なるいじめだ」と戦いののろしを上げた。バーチルは、ミドルクラスの英国人のアンダークラス蔑視を「ソーシャル・

レイシズム」という言葉で呼び、Ｃｈａｖのドキュメンタリー番組を制作したり、著名文化人であるという立場も忘れて「私はＣｈａｖになりたい」と発言したりして、一大Ｃｈａｖ擁護運動を展開する（そしてわたしはバーチルが大好きになった）。リリー・アレンともTwitterで激しいバトルを繰り広げるが、さすがにリリーも敵に回す相手の選択を誤ったというか、あの論争（というか喧嘩）以来、リリーから「クールで賢い女の子」の肩書きは完全に剝がれ落ち、「甘ったれたお嬢ちゃん」というイメージが定着してしまったように思う。リリーは映画プロデューサーである母親にもこっそり援護射撃してもらったりして論争の収束を試みるが、バーチルは新聞紙面に書き放つ。

「あなたは若くて美しい、才能あるアーティストです。私は年を取って太った、栄光は過去のことになった賞味期限切れのばばあです。でも、あなたが私のような人間の言うことばかり気にして生きていくのなら、ぶくぶく太る年齢になったこのおばはんの十分の一だって幸福を感じることはできませんよ」

彼女が『タイムズ』紙にコラムを書いていた頃、ジョン・ライドンが「最近読んでいるのは、ジュリー・バーチルのコラムだけ」と言ったことがある。そういえば、ミリタリー系フェミニストのおばはんが暴発しているような文章でありながら、時折、尖った宝石のような名文句がきらりと突出するバーチルの書き手としての芸風は『Never Mind The Bollocks』のレヴューを書いた時から変わっていないし、それはスローガン（決め文句）づくりの天才と呼ばれるジョン・ライドンの芸風にも通じるものがある。

『Never Mind The Bollocks』の邦題は「勝手にしやがれ」だが、このタイトルはあまりにテリブルだとわたしは以前から思ってきた。というのも、あれは「勝手にしやがれ」などという投げやりなものではなく、実は正反対で、「アホは気にすんな」というポジティヴな言葉ではないかと個人的には思えるからだ。

人の言うことなど気にすんな。てめえはてめえの道を行け。

というＤＩＹライフのフィロソフィーは、「ザ・ワースト・マザー・イン・ザ・ＵＫ」を自称してきたバーチルの人生にも見事に投影されている。

パンク時代の『ＮＭＥ』では、クラッシュ担当はトニー・パーソンズで、バーチルはピストルズ担当というのが後に夫婦になるふたりの役割分担だったそうだが、クラッシュが社会や政治を告発するバンドであったのに対し、ピストルズは「で、お前はどうなんだ？」と個人を挑発するバンドだった。同様にバーチルも、「で、あんたはどうなのよ？」とその文章で英国人の個人的な偽善を炙り出し、バサバサと叩き斬ってきた（メッタ斬りにされたひとりがリリーである）。

現在はブライトンで半隠居生活を送っているバーチルだが、一日二食しか食べていない貧困層の子どもが増えている時代にロイヤル・ベビーで盛り上がり、聖母然と赤ん坊を抱くキャサリン妃のイメージが氾濫している今日のＵＫで、ギター代わりに赤ん坊を地に叩きつけてみせた女性パンク・ライターは何を考えているのだろう。

二〇一三年の英国は、ジュリー・バーチルのようなライターを再び必要としているのではないだろうか。

（単行本時の書き下ろし）

孤高のライオット・ガール

ブロークン・ブリテンと言われる現代の英国が抱える問題のひとつに、女子のライオット・ガール化。がある。

たとえば先日なども、仕事帰りにバスに飛び乗り、ダブルデッカーの二階に上がって座席に座ってから周囲の異変に気づいた。わたしを除けば、二階の乗客はすべて泥酔したティーンエイジャーだったのである。しかも、ほとんどがビールの缶やウォッカやジンのボトルを手にした女子。ふたりがけの座席にひとりずつ座って、ふんぞり返って脚を伸ばしたり、ごろんと寝転んでジンをラッパ飲みしたりしている。

どの子もアンダークラス丸出しの、いかにも学校に行ってません系ファッションである。よれよれのトラックスーツのボトムの上は、寒い日にもキャミソールだけ。パジャマのズボンを穿いている子もいる。寝起きに飲んでます。なぜかバスの二階で。というような、だらけきった風体である。

最後尾に座っているふたりの少女は、窓を開けてけたたましい声で通行人を罵倒している。

「クソばばあ、こっち見てんじゃねえよ、ファッキン刺すぞ」

「貴様がファッカーだからファッカーだと言ってんだよ、このファッキンじじい！ファッキン・フルボッコで地獄に送ってやるからな。どあひゃひゃひゃひゃひゃひゃひゃひゃ」

でっぷりと体格の良い十四、十五歳の少女たちが、おっさんみたいに酒焼けした声で怒鳴り続けている。

わたしなどは、外国人のばばあという事情もあるので、このまま座っているとこちらがフルボッコにされる可能性もあり、卑屈ではあるが次のバス停で降りるふりをしてコソコソと一階に移った。家には幼い子供もある。まだ死ぬわけにはいかない。

一階に座っている大人たちはみな、居心地の悪そうな陰気な顔つきで黙っていた。二階の物音が、階下にもはっきりと聞こえ、やかましいのである。

「どうして上はあんなにうるさいの？」

と、バギーに乗っている幼児が聞くと、苦々しい表情で母親が答えた。

「They are rioting」

時代は今、九〇年代らしいので、ライオット・ガールもリヴァイヴァルしているのかもしれないが、しかし、ライオット女子の草分けといえばスリッツだろう。

スリッツ（割れ目たち）は、名前の上でもセックス・ピストルズ（性銃）と対を成す女子パンクのパイオニアだった。デレク・ジャーマン監督の『ジュビリー』中でのスリッツの演奏シーンなど見ると、アルバム『Cut』発表以前の、まさにピストルズの女性版だった黒づくめのパンキーなスリッツを見ることができる。

ドン・レッツの『パンク：アティテュード』に、パンク時代の女性たちを語る箇所がある。パンク界の女性たちはアンドロジナスだったということが語られる部分があり、そういえばスージー・スーもパティ・スミスも、最初は男性が着用する服を着てシーンに登場したのだが、「パンクは、初めて『男も女もない』というコンセプトを現実にしたムーヴメントだった。男でも、女でも、どこの国の、どの階級の出身でも、平等に受け入れられた」と関係者が熱っぽく語る一方で、Xレイ・スペックスの故ポリー・スタイリンが「（男に）なめられたくなかったから、わざと男っぽい格好をしていた。私が強いイメージの女を演じたことで、女性たちが勇気づけられたことは嬉しいと思うけど、今ふり返ると恥ずかしい。私は自分のフェミニンな部分を抑圧していた」と正直に言ってのけたのが印象的だった。

個人的には、パンクにスカートを穿かせたのはスリッツだったと思っている。『Cut』のジャケットにしろ、女が三体。という感じで、泥だらけの裸体に腰みのを巻いただけ、という写真は当時たいへん話題になった（この写真も現代ならば「文化の盗用」と批判されることになるだろう）もんだが、このジャケットから見ても明らかなように、彼女たちは最初から男の真似をしたり、男たちの鼻を明かしてやろうなどという姿勢は持っていなかった。何かスリッツには、そういうことを軽々と超越している気配があった。

アリ・アップの母親のノーラは、ヒッピーやパンク風のファッションの女性ばかりだった時代に、ひとりだけキャサリン・ヘップバーンばりのスーツを着て真っ赤な口紅をひいていたそうで、「何者だ、あの女？」と吃驚したジョニー・ロットンが恋に落ちたというのは有名な話だが、彼女の娘であるアリ・アップにも、そのエレガントな血は流れていたのかもしれない。長い髪をひらひらさせてスカートやホットパンツを穿いた女性パンク・ロッカー。というのは、彼女が元祖だったと思う。楽器もひけないのに気合いだけで何とかしようとした最初の純然たるアティテュード・バンドだったスリッツには、逆説的に、どこか妙に肩の力が抜けている部分があった。

ドイツのメディア財閥の娘、ノーラのロンドンの家は、食えないパンク・ロッカーのシェルターだったそうで、ロンドン・パンクを代表するメンツがごろごろ家の中に転がっていたときアリは十四歳だったのだから、パンク・エリートとしか言いようがない。郊外のワーキングクラスの家から出てきて、必死で肩をいからせて自分を証明せねばならなかった男装のパンク・ガールたちとは、最初からペディグリーが違っていた。アリは、何もしないうちからムーヴメントのコアにいた。

「ある人間が芸術家を目指そうとするとき、育ちの良さというのは重要なところでね、幼い頃から本物に触れているかどうかというのは、彼らが作る物にどうしたって差を生み出す」

と言ったのは、わたしのゲイの友人の夫で、ロンドンの王立芸術学校で教えている爺さんだが、アリ・アップという女性とスリッツを思うとき、わたしはこの言葉を思い出す。


商業主義に反旗を翻したＤＩＹムーヴメントだって、盛り上がってしまえば誰しも食うことを考えはじめたし、貧しい若者たちは余計にそうだったろう。けれども、スリッツには、そういう地べたの下心の匂いが全くしなかった。育ちの良いアリ・アップには、「私がやりたいこと」や「私が言いたいこと」が全てだったのである。

だからこそ、彼女のガールズ・ライオットはピュアでタイムレスで清々しく、どこかＣＲＡＳＳにも通じるロマンを感じるのだろう。


アリ・アップの義理の父親だったジョン・ライドンは、ラスタファリアンだったアリが乳癌の治療を拒否して死亡したことを明かしている。

「アリアナは死ぬ必要なかったんだ。彼女は自分が癌にかかっていることを知っていた。なのに、わざとそれを無視して、クレイジーな左翼の気の触れたセオリーを選んだ。そんなことをすれば、誰だって確実に死んじまう」

考えようによっては、死ぬまでライオットだった。

真っ直ぐに、下心に曇らされずに何かを信じ、それに向かって爆走することが、アリのライオットだったのである。

「英語は彼女の母国語ではなかったから、それは彼女にとって楽なことではなかったわ。真剣に受け取られるために、彼女は戦わねばならなかった」

と言ったのは、アリが亡くなった二年後に主婦生活にピリオドを打ち、五十七歳でソロ・デビュー・アルバムを発表した元スリッツのギタリスト、ヴィヴ・アルバーテインだが、自分が英国に居住する身分になってみると、こういう話にこそ「ああ」と反応してしまう。

アリは、エリートであると同時に、アウトサイダーでもあったのだ。

後に彼女は双子の男児を出産するが、その後、下の子供もできたというのに、流浪するシングルマザーのライフスタイルを止めなかったので、見かねたジョン・ライドンが「子どもたちをちゃんと学校に行かせろ」と双子を引き取って育て上げたのは知られた話だが、ジョニー・ロットンに尻拭いをさせながら生きたい放題に生きたパンク・ガールなど、他にはいない。アリ・アップのライオットとは、集団で一時的に暴徒化することではなく、孤高に生涯を爆走することだったのである。

癌の治療をせずに死んだ彼女を「親不孝者」となじる一方で、ジョン・ライドンがパンクの盟友としてのシンパシーを感じていたのは、本当は彼女だったかもしれない。

（単行本時の書き下ろし）

Atrocity について。しかも、まじで

ロンドン同時多発テロ明けの週末は、土曜日の新聞も日曜日の新聞もこの Atrocity（残忍な行為）の特集だった。テレビのニュース番組にも「WAR ON TERROR は続く」みたいな見出しが躍りに躍り、所謂ワールド・リーダーたちの劇的なスピーチが繰り返し流される一方で、テロ当日に活躍した一般市民や消防士、ポリスの皆さんの英雄譚が続々と語られ、ああ英国メディアはこの事件を英国の九・一一として盛り上げようとしているな、と思っていると、すでに今回のテロは七・七などと呼ばれている。

今回のテロもイスラム系過激派組織の仕業である可能性が濃厚。というのが現段階での当局の見方のようだが、こうなってくるとまた「イスラム系はヤバい」とか言って勝手に暴れる獰猛な人たちなんかも出現し、イスラム教徒の方々へのアタックなんて話もちらほら出てきているようだが、今回のテロの被害者の中にはイスラム教徒の方々もおられるのだからして、そこはやはりなんぼ血気さかんで野蛮な英国民でも、

そこまでバカタレなことをしておられるのは今回はごくごく少数のようである。

が、イスラム教原理派への憎悪というか、ある宗教というか考え方に「死んでもいい」と思うぐらいに嵌り込み、入り込み、そのために身を捧げきることのできる人びとのことを「クレイジー」と呼ぶ風潮は再燃しており、「憎しみを育む宗教はいけない」という主張を高らかに叫び、他人が奉じている概念または教えのようなものを頭から否定する人びとも右翼系新聞を中心に活躍するようになっている。

で、そうした主張および他人の奉ずる概念の否定を行っている人びとが信じていたり、信じてるわけじゃないんだけど冠婚葬祭の際に一応利用したりしている宗教にキリスト教というのがあるわけだが、しかしこれなんかも発生した時点ではいわばユダヤ系過激派といっても差し支えないカルトだったわけで、ジーザスという御仁はいきなり「神の家を汚すな」などとシュールなことを言って市場を破壊したこともあるし、「自分は世の人びとを分裂させるために来た」という大変に激しいことなんかも明言しておられる。

で、そのジーザスというナザレの日雇い大工が説いた概念または教えのようなものにどっぷり嵌り込み、入り込み、そのために命まで捧げたりしたのが聖書なんかにも登場する弟子の皆さんだったわけで、つまり、宗教に入り込む人間がクレイジーだというならば、これらの人びとなんかも筋金入りのクレイジーだったということになる。

そう考えると、現在英米でジョンとかポールとかピーター（ヨハネ、パウロ、ペテロという使徒の名の英語名）とか呼ばれている方々は、すべて狂人の名前にちなんで名付けられた人びとだったのかということになり、じゃあビートルズなんてのも、ありゃあコンビ（ヨハネ&パウロ）を核とするバンドだったのねという話にもなってくる。

それに、というのも、クリスチャンの方々が「憎しみを育む宗教」を否定するってのもなんかおかしい。キリスト教だって昔から憎しみを育みまくって来た血なまぐさい宗教なのであり、そもそも宗教というものが、何らかのコンセプトまたは教えのようなものを奉ずるor奉じないという性質のものである限り、世間の人びとをグループ化させて分断してしまうのはこれはもう仕方のないことなのである。

たとえば、「私はスミスが好きなんだけれども」という人に対し、「いや、自分はモリッシーはぐじょぐじょしていて嫌いだ。自分はむしろ、クラッシュの革命扇動的スタンスのほうが格好よいと思う」という主張を行う人がいたとすれば、スミスのファンであるところの人物は「そう？　私はクラッシュみたいのは単細胞でバカだと思うけど」とつい反論したくなるだろうし、このふたりが両者の熱狂的な信奉者であればあるほど話は平行線を辿るばかりで、最初は自分の好きなものの素晴らしさを相手に主張していたはずだったのが、そのうち相手の好きなもののけなしあいへと発展し、しまいには胸ぐらをつかみ合い、殴り合い、そこら辺に落ちていた刃物を拾って相手を刺してしまったというような惨劇となる可能性もまったくないとは言えないのである。

つまり、何かを愛する、または信奉するということは、「自分の奉ずるものを自分の部屋の中で誰とも交わらず誰にも主張せず誰にもわかってもらおうとせずにたったひとりで愛する」というオタクの王道をゆくようなライフスタイルを全人類が採択でもしていない限り、どうしたって世間を分裂させ、争いごとの種となり、憎しみを生み出すものなのだ。

それに、「ジーザスの教えで生まれ変わった男」ブッシュ大統領と「毎日曜日には欠かさずミサに出かける敬虔なカトリック信者」ブレア首相の米英クリスチャン支配者コンビにしても、WAR ON TERROR、即ち、対テロ戦争などという言葉を口にした時点で本当はクリスチャンとしてはもうアウトなんである。そもそも、クリスチャンともあろうものが、テロリストに宣戦布告などしてどうするのだ。

「右の頬を打たれたら左の頬も差し出せ」と言ったジーザスを彼らが本気で信じ、愛しているのであれば、「やった奴らは必ずあぶり出してグアンタナモで拷問しちゃる」などということを言っとるようではいかんのであり、ましてや、「やられる前に叩き潰しちゃる」というような勇ましげな理由でよその国をいきなり爆撃する、などという所業に至ってはこれはもはやアンチ・クライストのサタンの仕業である。クリスチャンの本道とは、やられ放題、踏まれ放題にして十字架をかついで死んでゆくことなのだから。

なんてことを書くと、そのような極端な考えは危険である。と仰る方もおられるだろうが、だが、そもそも信ずることや愛することに危険も安全もないのであって、「ここの部分は安全だから信じるけど、ここの部分はちょっと危険だから信じない」というような中途半端な姿勢では、本当に何かを信じ、愛したことにはならない。というのは聖アウグスティヌスも聖フランチェスコも説いておられる点である。

つまり、その論理でいけば盲信する人びとを「クレイジー」呼ばわりする人間たちこそが屁温《へぬる》い。ということになるが、じゃあクリスチャンの方々は預金通帳を盗まれたら家の権利書も差し出し、妻が蹂躙されたら娘も差し出せばよいのかというと、それは一概にはそうとも言えないのであって、そんなことをすれば、「右の頰を打たれたら往復ビンタをくらわせよ」というマッチョな方々や、「何がピースじゃあほんだら。ふぬけた奴らからは強奪せよ」みたいなワイルドサイド方面の方々なんかが、他人の資産や生命を奪い放題にして地獄絵図みたいな世の中になってしまうのは目に見えているのであり、だからこそ国家は法律をつくって人間が他人に迷惑をかけないようにするんだが、しかしこの法律にしたって、当該地域の宗教・民族性によって正義の定義が異なっているという、言ってみれば相当いい加減なものであって、「絶対的に完璧で公正な全人類向けの法」なんてものはいまだかつて世に存在したことがないのである。

このことからもわかるように、つまり、人間のひとりひとりが正しいと思うことを統一するのは不可能なのだ。

青空に白鳩放ってピースフル、人命は地球より重い。みたいのがいいと思う人びともあれば、何かのために戦って死ぬことこそが真理だと思う人たちだっているし、真理もクソもあるか、ロマンティックなことをぬかすな、このふぬけが。と敢えてワイルドサイドを歩きたい人たちだっているのだから。

そしてまた、さらに重要なことには、そのどれが正しいのかということも、本当のところは人間ふぜいにはわからんのである。

だから、「自分が正しいと思っていることは、他人が正しいと思っていることよりも、より一層正しい」というような、「自分は人よりベター」または「自分はちょっと他人より素晴しくって正しいことがわかっててかなりスペシャル」または「自分は聖徳太子の末裔であり神の落とし子である」みたいな根拠の怪しい自信は、それが幻想である以上、持っていても意味がないばかりか世の禍の種となる。

だから、「益々混沌としてゆくだろう世界（ｂｙジョン・ライドン）」を生きてゆく

うえで、持っていて少しでも役に立つものがあるとすれば、それは、
わたしはよく間違う。

という諦念まみれの認識。またはネガティヴな寛容性。または低みからの洞察。なんじゃないかなと、ここのところわたしはつくづくと思うようになった。

Atrocityが発生すると自分たちの正当性をいっそう確信してしまうらしい米英の政治的指導者たちの、自信と正義感にうち輝き、みなぎり、がんがんにやる気のほとばしるその顔々を眺めているうちに。

とはいえ、これにしても、わたしが間違ってるかもしれないんだけど。


（初出：a grumpy old woman　二〇〇五年七月十二日）

雪と学生闘争。そしてジョニー・マー

Stop saying that you like The Smiths, no you don't. I forbid you to like it.（スミスを好きだなんて言うのはやめろ。あんたは違う。あんたのスミス好きを禁止する）

ジョニー・マーが、自らのTwitterで英国首相デイヴィッド・キャメロンに送ったメッセージである。

雪の中を学生たちが街に出てアンチ保守党政権闘争を繰り広げている今、誰かがこれを言うのをわたしは待っていた。わたしは雪の中で抗議運動を繰り広げた人びとの中にはいなかったが、デモ行進を続けた人びとの子どもたちの面倒を託児所でみていた。個人的にはもはや、デモ行進だの流血の抗議運動だのにわくわくできる年齢ではないが、今回の全国的な学生運動には、「わたしの心は君たちとともにある」な心情である。

労働党政権もしょうもないものだったことは間違いないが、あの政党のしたことでもっともブリリアントだったのは（トニーやゴードンが個人的にしたかったのかは別にして、党の伝統的イデオロギーとして優先しないわけにはいかなかった政策として）「底辺引き上げ志向」の教育ポリシーがあった。

底辺民を上に引き上げるのは、教育しかない。

の思想を奉じる労働党政権のおかげで、どれだけの貧乏人やアンダークラスの子どもたちが大学や大学院に通えたことか。元ロックスター志望のトニー・ブレアが、演説で「Education, education, education !」と叫んで聴衆を熱狂させたあの政策である。

テレビのニュースなどで映っている学生たちはみんな若いので、あまり中高年の学生たちは話題にのぼることはないが、保守党（&自民党。は政権発足時からいないも同然だが）政権が教育予算を大幅削減するせいで、おっさん・おばはんスチューデントへの補助金や学費免除制度なども廃止されることになり、「英国っていい国ね。いくつになってもいろんなことを勉強している人がいて、人生のオプションがたくさんある」みたいな日本人留学生の所感などは今後あまり聞かれなくなるであろう。いい歳をして巨額の借金を背負ってまで大学で勉強したいと思う人はあまりいないからである。

十代で何人も子供を産んでその後二十年を母親として暮らしたが、子どもがみんな大人になったので、大学に行って勉強したくなった。という貧民街の女性なども、現政権には、「ふざけたこと言ってないで、下層の人間は下層の人間らしくいつまでも最低保証賃金で働け。住宅補助金も打ち切るからな」みたいな仕打ちを受けることになる。保守党の支持ベースがミドルクラス以上の人びとである限り、彼らは「底辺民の引き上げ」などには興味ない。どちらかといえば、上のほうの人たちを満足させるためにもっと格差を広げたいだけで。

わたしは英国で保育士をしている人間だが、労働党が打ち出していた「〇歳からのカリキュラム政策」も保守党にスクラップにされつつある。

ミドルクラスの家庭の幼児に比べると日々耳にしているボキャブラリーの数が一〇％以下。と言われている貧困層の幼児たちを〝底上げ〟するため、前政権は保育士を〝幼児教育専門教員〟化して保育施設でもひとりひとりの子供に対応した学習カリキュラムを作成させようとした。そのため、そうしたカリキュラム作成ができる専門家育成のための新コースを全国の大学にスタートさせ、働きながら学ぼうという保育士には全額授業費を免除した。とくに貧困な地域の保育施設に勤める保育士が大学に通う場合には、その勤め先にも奨励金などが支給されていたのである。

底辺託児所のような場所が、このような労働党政権の政策でどれほど助けられたかは言うまでもなく、この授業料免除制度を利用して大学に入学した関係者の一人も、新政権がその制度を来年から廃止するので勉強を続けられない状況になり、粉雪の舞うブライトンの街をプラカードを掲げてデモ行進した。

デイヴィッド・キャメロン首相は、無人島にたったひとりで行くとしたら持っていく曲。としてザ・スミスの"This Charming Man"をあげたことで有名だ。

ロンドンで行われたある日本人の集まりの壁際の最末席で小さくなっていた時に、邦人ロック・バンドのメンバーだという人が、「スミスの音楽には階級はありませんよ。リッチとかプアとか、そんな狭いものじゃないし、もっと普遍的です」と語っていた。が、十何年もこの国の貧民街に住んだせいでわたしは感受性が腐ってしまっているのか、ザ・スミスの音楽は英国の底辺階級の若者の恨み節にしか聞こえない。その意味では、もっともセックス・ピストルズに近いとも言える。

Stop saying that you like The Smiths, no you don't. I forbid you to like it.

ジョニー・マーがTwitterでつぶやいた一言は英国では高級紙にも取り上げられ、大きな話題になった。『ザ・タイムズ』紙の女性コラムニストは、「ブラーもレディオヘッドも同様の声明を出せ」と扇動している。

学生たちの抗議運動もそうだが、このようにストレートな政府への〝反抗〟の勢いは、もう何十年もこの国では見られなかったものだ。とくに、貧乏な若者たちが本気で怒っている。底辺生活者サポート施設周辺でも、若い子たちの顔つきが変わっている。

ひどい時代になってきた。が、面白い時代になってきた。

（初出：THE BRADY BLOG　二〇一〇年十二月五日）

モリッシーのひねり。それは学生デモ隊に何よりも必要で

　ジョニー・マーがデイヴィッド・キャメロン首相に宛てた「スミス好き禁止令」をモリッシーが公に支持したというのはご存じの方も多いだろうが、この『ガーディアン』の記事を見た時、わたしはのけぞって大笑いした。

　僕はジョニー・マーの声明をサポートしたい。なんて、また素直にどうしたのかと思っていると、いきなり「だってデイヴィッド・キャメロンは狩りを合法的に容認するスタンスなんだもの。そんなヴァイオレンスを僕は許さないし、自然の生態系にダメージを及ぼすなんてダメよ」みたいなコメントをして子猫を抱きしめているモリッシーの写真が掲載されているものだから、わたしとしても爆笑を禁じ得なかったわけだが、爆笑の後でこの〝ずらし〟にはニヤリとさせられてしまった。

　狩り。は英国では伝統的な上流階級および名士の遊戯だ。貧乏人はそんなもんしたこともなけりゃ見たこともない、大変に〝閉鎖的〟かつ特権的なスポーツなのである。そしてこのスポーツをする人たちは例外なく保守党の支持者たちだ。

とストレートに言わずに、あえて子猫を抱いて遠い目をしている中年菜食主義者になりきったモリッシーのユーモアのセンスは、おそらく現在の学生デモ隊にもっとも必要なものかもしれない。ジョニー・マーの直球もいいが、モリッシーの変化球も絶妙で、このおっさんたちはまだまだ死んでない。

ロンドンでは学生デモ隊がチャールズ皇太子夫妻の車に攻撃をしかけたりしているようだが、今回の学生運動に必要なのはモリッシーの〝ずらし〟のユーモアであり、テムズ川に浮かべたボートで〝God Save the Queen〟を歌ってみる〝茶化し〟の精神ではなかろうか。

というようなことを、今日ブライトンで行われたデモに参加すると意気込んでいた若者たちに底辺生活者サポート施設で言うと、「そういうのはミドルエイジの人の考えだと思うが、そういうことを自分たちに忠告するという点で、この時代にミドルエイジの人びとが果たせる役割があると思う」と言われた。

そうか。ジョニー・マーやモリッシーはきっちりミドルエイジの役割を果たしていたのである。

思わずわが青春のセックス・ピストルズとジョン・ライドンはどうしているのかと思うが、そう思う時のわたしの目線はアメリカに向いている。

それが現在のスミスとピストルズの決定的な違いだ。スミスはどこまでも、本当に無器用なほどにどこまでも、英国のバンドなのだと思う。

国会では野党がスミスの曲のタイトルをもじってキャメロン首相をからかったり、キャメロンがまたスミスの曲のタイトルでそれにやり返したりしているようだが、このような事情を踏まえると、スミスが今回の学生闘争のBGMバンドとして蘇ってもまったく不思議ではない。

「The Queen is Dead」と「God Save the Queen」。より古いものの方が素晴らしいというありがちな方程式は、今回ばかりは使えないかもしれない。

追記：今朝、バスの中で拾った新聞の一面の見出しは「Anarchy in the UK」だったけどな。誰しも考えてることは同じのようで。

（初出：THE BRADY BLOG　二〇一〇年十二月十日）

ポリティクスと定規の目盛り

学生デモの話を書きたくなったのには個人的な理由があった。

英国では〝異様に算数が得意な人〟と見なされてしまう日本人のひとりとして、わたしは某リベラルチャリティー系教育機関で成人向け算数教室の教員補助として時々ボランティアしている。

なので、読み書き・算数がきちんとできない英国の成人たちを再教育する現場というものがどういうものなのか知っているし、そのために労働党がどれほどの予算を費やし、底辺の人びとを引きあげようとしてきたかを知っている。

はっきり言って、日本なら不合格になる十二歳はいないだろう。というような超ちょろい算数のテストに合格するために勉強しているイングリッシュ・アダルトがどれほどいることか。掛け算、割り算はおろか、足し算、引き算で躓いている。定規の目盛りも読めない。これ、元ドラッグ中毒とか十三歳で妊娠したとかで学校を中退した若人ばかりではない。わりと普通に働いているおっさん、おばはんもいる。

「収入格差」も凄いけど、「教育格差」はもっと凄い。

というこの国の事情は頭では知っていたが、実際に24＋8を前にして手も足も出なくなっている英国人の大人がずらりと並んで座っているのを見た時には言葉を失った。そら足し算とか引き算とかしなくても一生食っていけるのなら、別に算数なんてどうでもいいだろう。が、彼らはいろんな事情で再教育されるためにやって来る。

就職したい。昇進したい。が主な理由とはいえ、子供の宿題を見てあげたい。やはり人として足し算とか引き算とかぐらいはできるようになりたい。という人もいる。近所のたばこ屋で物を買うときにいつも自分だけお釣りをちょろまかされている気がする。という切実な危機感を訴える人もある。

ともあれ、こうした人びとに再教育の機会を無料で与えて来た労働党の政策は、わたしは好きであった。が、この成人向け算数・読み書き教室にしても、保守党政権の教育予算削減のため、来年はどうなるかわからない。

学生デモは大学の学費値上げが争点の核になっているが、本当はそれよりも、貧困層学生・貧困層フレンドリーな教育機関への補助金・支援金カットの方がわたしには気になる。学生闘争にしても、こっちを焦点にしたほうが、アナーコ系の方々も巻き込んで本格的なアンチ政府運動に発展すると思うのだが、学生限定闘争はまだそこまではいってない。

何が正しくて何が間違っているのかというのは人間ふぜいにはわからんし、決めつけるのは危険だ。が、どれが自分の好みか。あるいは自分の美意識（クール・アンクールの基準）に合うかというのはあって、人間である以上、この本能的価値判断はやめられない。

デイヴィッド・キャメロン率いる保守党政権（自民党は発足当初からいないも同然）は〝お坊ちゃま政権〟と言われるが、〝ぼんぼん〟という点ではトニー・ブレアやゴードン・ブラウンも同じだった。労働党だからといって、生粋の労働者階級出身者が党首になるわけではないのである。というか、やっぱ現実的に考えて、定規の目盛りが読めない階級からは政治家は出ない。

ポリティクスは、立ち位置ではない。志向する方向性なのだ。

どんな国がクールなのか。どんな国になればクールだと思うか。の個人的美意識が、ジャスティスだのポリティカル・イデオロギーだのといった難しい言葉で置き換えられているだけで、本来ポリティクスなんてそんな複雑怪奇なものであってはならないはずだ。

その点でいえば、成人向け算数教室は大変にわたしの好みであったし、それをないがしろにしようとする保守党には、さっさと失脚していただきたい。なぜなら、収入や階級のバックグラウンドとは関係なく国民すべてが15＋7の答えがわかって、マイナス2℃とマイナス6℃ではどっちが寒いのかわかる国の方が美しいとわたしは思うからだ。

また、成人向け算数教室で精力的に大人学生を指導している、ニック・ケイヴのTシャツを着た五十歳の講師は、わたしが今年出会った人の中でもっともクールな人物のひとりだったと記しておきたい。アウトサイドから底辺民を支えているインテリゲンチャたちが（本当に）いるということ。いつ見ても同じTシャツを着ているほど貧乏でも、自らの信念のために自らの頭脳を用い、生き生きと働いている激烈にアカデミックなおっさんが（本当に）いるということ。

英国の奥深さはまさにこの辺にある。

（初出：THE BRADY BLOG　二〇一〇年十二月十六日）

彼女はバスに乗って家に帰る途中だった。彼女の外見は中国人か日本人。韓国人かもしれないし、フィリピン人である可能性もある。何にせよ、一見して極東、またはもっと広い意味でのアジア出身であろうことがはっきり見て取れる外見。その中年女性は、よほど急いでいたらしく、チャーチル・スクウェアのバス停に止まっていたバスに飛び乗り、後部座席へと歩いて移動した。

彼女が着用している赤いポロシャツの胸元には、TEDDY BEAR NURSERYという刺繍が見える。保育施設に勤める移民なのだろう。両手いっぱいにスーパーマーケットや一ポンド・ショップの袋を下げ、よちよちと頼りない足元で後部座席へと進む彼女の足が、つ。と何物かに触れ、転びそうになった。足を通路まで投げだしてだらしなく腰かけていたスキンヘッド&タトゥーだらけのおっさんふたり組の、どちらかの足に蹴躓いてしまったのである。

「ソ、ソーリー」

と彼女はR音とL音が混じり合ったような、英国人にとっては聞き取りづらい不思議な発音でSorryのR音を発音しながら謝った。

スキンヘッド&タトゥーふたり組のおっさんのひとりが、低い声で呟く。

「ファッキン・チンク」

彼女はまた「ソーリー」と条件反射のように謝ってからバスの後部に移動した。

チンク。それは彼女が日常的に耳にする言葉であった。その言葉は中国人に対する蔑称だと、ある日本人は言った。そうではなく、極東人全体を指す蔑称なんだよと爆笑した中国人もいた。

しかし、彼女にとってそういう詳細はどうでも良かった。中国人でも、日本人でも、韓国人でも、フィリピン人でも、そんなことはどうでも良いのである。先様の目から見れば、チンクはチンクなのだから。

「ファッキン・チンク」

彼女はとくによくこの言葉を浴びせられることがあった。自転車で道を走っている時に、ぼんやりしていて信号を確認せずに渡ってしまうと、脇から出て来た車の運転手から「ファッキン・チンク」とどやされた。ぼさっと考えごとをしながら商店街を歩いていて、反対側から歩いて来た人の肩に頭がぶつかると「ファッキン・チンク」となじられた。

どちらの場合も、悪いのは自分である。と彼女は理解していた。自分がしょっちゅうぼんやりしたり、ぼさっとして街中を移動しているから、他人に迷惑をかけてしまい、そのために相手を激昂させて「ファッキン・チンク」と言われるのだ。

そう考えていた彼女にとり、「ファッキン・チンク」はもはや人種差別的表現ではなく、自分がどんくさいために見知らぬ人から叱られている時に言われる言葉に過ぎなかった。だからその時も、彼女はそそくさとスキンヘッドとタトゥーのふたり組のそばから歩き去り、バスの一番後ろのシートに腰かけたのである。

が、その時、唐突にバスの前方からだみ声が聞こえて来た。

「誰かが今、俺のバスの中で不快な言葉を吐いただろう。しかも卑語つきで」

彼女が顔を上げると、バスの運転手がおもむろに振り向いてこちら側を見ている。

運転手はガラの悪そうなスキンヘッドの白人の大男であった。半そでのシャツから覗くモリモリした腕には、色とりどりのタトゥーが施されている。年齢はおそらく三十代後半から四十代前半。はっきり言ってその運転手の年格好は、彼女に罵声を浴びせたふたり組に良く似ていて、同じ系統の人びとであるようにも見える。彼ら三人は仲の良いお友だち同士なのですよ、と誰かがもし言ったとしても、彼女は別に驚かなかっただろう。

「誰かがそこの真ん中あたりで、不愉快な雑音を発しただろう」

運転手はそう言いながら、その目は明らかにスキンヘッドふたり組の方を見ていた。運転手から誰が見てもそれとわかるような明瞭な視線を向けられ、ふたり組は激昂した。

「なに格好つけてんだよ」と、背の高い方のスキンヘッドが言う。「ファッキン・チンクはファッキン・チンクだろうが。ちょっとファッキン金のもらえるファッキン仕事をしてるからと言って、人をばかにするな」

背の低い小太りのスキンヘッドも、ファッキン、ファッキンとリズミカルに怒鳴っている。

「降りろ」と運転手は言った。

「卑語や他人を蔑む言葉を使う人間は、俺のバスには乗れない。降りろ」

ふたり組のスキンヘッドは、いったい自分たちに何が起きているのかわからない、というような表情で当惑していたが、すぐに勢いを盛り返し、運転手に向かって叫び返した。

「格好つけやがって、安月給の運転手のくせに。バス会社のオフィスにクレームつけてやるからな」

「俺らはちゃんとバス代払ってるだろうが。貴様が払い戻ししてくれんのかよ」

しかし、そうしている間にも、ふたり組の立場が苦しくなっていることは彼女にも見てとれた。

「あんたたちがいつまでもそこでうじゃうじゃやってると、アタシ、バイトに遅れるんだけど」みたいな目線でふたり組を睨んでいる赤毛の学生風の女性。

「なんでもいいからとっとと降りてくれ。こちとら早朝から働いて疲れてるんだよ」みたいなディープなため息をつく、暗い目をした郵便配達の制服の男性。など、じっとりとふたり組を凝視している乗客がけっこういる。

運転手はきっぱりとした声で言った。

「彼らが降車するまで、当バスは発車しません」

（と書くと、まるで脚本のようにストレートな進行だが、これはリアリティなので、当然、乗客の中には「あんたさえバスに乗って来なければこんなことにはならなかった」的な目つきで彼女のほうを睨み、大袈裟にため息をついて頭を振ってみせる人などもいたが）

「一介のファッキン運転手に、運賃払って乗車している客に『降りろ』なんて言うファッキン資格があると思ってるのか？」とふたり組の背の高い方が言った。

「ファッキン運転手はファッキン運転手らしく、黙ってファッキン・バスを運転しろ。それがお前の仕事だろうが」

ふたり組は執拗に駄々をこね続けるが、運転手は彼らの挑発には乗らず、冷静に言った。

「速やかに降車しろ」

乗客らは一斉にふたり組のほうを見ている。

ふたり組は肩を怒らせてポーズをつけながら斜めの角度で立ち上がり、

「最低保証賃金で働く哀れなルーザー」

「ファッキン・カント」

と悪態をつきながら運転手の脇を通り抜け、バスから降りていった。

真っ昼間からゆったりとバスに乗って、気ままに卑語を連発しているということは、無職の人たちなのかもしれない。彼らから低賃金で働く哀れなルーザーと呼ばれた運転手は、何事もなかったかのように前方を向き、バスのドアを閉じながら言った。

「発車します」

いったい何だったのだろう。

彼女はひどく動揺していた。

この国に住んで十五年になるが、こんなことがあったのは初めてなのだ。だから、運転手の行動は、彼女にとり、一服の清涼剤とか、わたしのヒーロー。とかいう爽やかなものではなく、ある意味、ひどくショッキングなものですらあった。

多くの人びとがバスを乗り降りし、窓の外の風景がゆるやかに街中から郊外へ、裕福な地区から貧しい地区へと移り変わり、ふたり組のスキンヘッドのことなど誰もが忘れてしまった頃、いつものようにブザーを鳴らし、いつものバス停で彼女は降車した。

降り際に、「Thank you」と彼女は言ったが、それはとくにバスの中で起きたことに言及しているのではなく、この街では多くの人びとがバスを降りる時に運転手に言う言葉だったので、なんとなく習慣でそう言っただけだった。

運転手も慣れた口調で「Thanks. Bye」と挨拶文句を言う。

が、唐突に、しかしさり気なく、「Never mind the idiots」というだみ声が降車する彼女の背後から聞こえてきた。


そういえばむかし、『Never Mind The Bollocks』というタイトルの、この国のパンク・バンドのアルバムがあったよなあ。

と彼女は思った。

あのアルバム、邦題は『勝手にしやがれ』だったと思うが、本当は違うよな。

「アホは気にすんな」

よろよろと貧民街の坂を登る彼女の脇を、バスがぶるんぶるんと走り過ぎていく。
彼女の胸の中に、久しぶりに、本当に久しぶりに、金銀の花火が打ちあがった。

（初出：THE BRADY BLOG　二〇一一年九月二十日）

怒りを込めて振り返るな。二〇一一年版

その日、彼女は息子を保育園時代の友人の誕生生パーティに連れていくため、ブライトン近郊の風光明媚なヴィレッジにある公園を訪れていた。そこは公園ではあるが、何らかの古い廃墟を記念する場所でもあるらしく、石造の建物の基礎部分のようなものが残っており、子供たちがきゃっきゃっ言いながらよじ上ったり下りて来たりしている。

誕生パーティの主人公である少年Tの母親Hが、いかにも好きそうな場所だ。と彼女は思う。大学でアートを学んでいる四十二歳のHは、四十代にしてはぶっ飛んだパンク調のファッションを好むのだが、どんだけパンクな家に住んでいるかと思って自宅を訪ねてみれば、まるでビクトリア朝住宅博物館のようだったと記憶している。

パーティの主人公である少年Tの父親Rは、薬物の使用過剰でめっきり老け込んだポール・ウェラーのような風貌で、パーティーに集まった子供たちを追いかけ回している。

「またRが激しく脱線してね。クリスマスから六か月間は、無茶苦茶な状況だったの」

とHが言う。Rが脱線した。というのは、Hがよく使う表現で、要するに彼はドラッグ漬けだったという意味である。

自分たちは無職だが、親が裕福なので息子を有名私立校に通わせているH&Rと、ワーキングクラス底辺部分在住なので当然子供はそこら辺の公立校に通わせている彼女。との、ソシオ階級的事情により、保育園時代は親友だった彼女の息子とH&Rの息子は、一年前に別々の小学校に進学した。今や彼らの棲息する世界は全く異なるものになってしまったことは、公園で遊んでいる息子たちの間に微妙な気がね的距離ができていることからも明らかだった。

子供が自分の階級を明確に意識しはじめるのはこの辺りからかしら。と彼女は思う。と、彼女の目に、見慣れた、というか、見慣れたもののような気がする男性の風貌が飛び込んで来た。

真田広之。

ポール・スミスを来た真田広之。

が、英国の古城の廃墟の前に立っている。

彼女の家には妙に真田広之似のアメリカ先住民の人形があるのだが、その男性は、まさに当該人形を髣髴とさせる容貌をしていた。彼は廃墟によじ登っている子供たちに向かい、「気をつけなさい。上に行くほど、石段が小さくなっているから」と聞き慣れない発音の英語を喋っている。

米国人かな。と彼女は思った。

唐突に、真田が「ハロー」と声をかけてきた。廃墟の上では、彼女の息子と、黒髪の少女がこちらに手を振っている。

「どうも、うちの娘とおたくの息子さんは気が合っているようですね」

真田似の男性が言う。彼女は彼に尋ねた。

「米国の方ですか？」

「近い」

「ということは、カナダ？」

「そうです」

真田の娘が、H&Rの息子と同じ私立校に通っていること。真田は二年前に英国に渡って来て、現在は大学で働いていることなど、彼は愛想よく話を続けた。

「英国にはとても面白い部分があります」

「たとえば?」

「この国の人びとの、階級へのオブセッション」と彼は言った。

「ははは」

「ちょっと社会に踏み込んでみると、誰もが異様なほど階級に執着していることがわかる」

「はははは」と彼女は力無く笑った。


初対面にしては彼女と彼の会話は不思議なほど弾んだ。なにしろ相手は真田広之である。同国人と喋っているような気になって、彼女の心のガードがほどけてしまったのかもしれなかった。気がつくと、彼女は彼と育児について語り合っていて、

「自分は、幼い頃に里親に預けられたんです。だからなのか、簡単なはずの養育の場面で、考え過ぎて失敗することがある」と真田が言った。

「?」という感情丸出しの彼女の表情を見て、彼は続ける。

「自分は、カナダ先住民の出身です。あの頃は、政府が先住民の子供を親から取り上げて、強制的に白人の親に預けた時代でした」

「取り上げるって?」

「先住民の子供たちを取り上げずに、定期的に役所が先住民のコミュニティを訪ねていたのです。あまり語られることはありませんが、そういうダークな側面があるのですよ、あの国の歴史には」と真田は笑った。

カナダの白人社会が先住民の子供を取り上げた理由は、彼女にも想像がついた。先住民は、白人のスタンダードで測ると貧しかったからだ。そして、貧しいがゆえにさまざまなダークな問題を抱えており、それでも自分たちの文化を捨て白人化して問題を解決しようとしていなかったからで、そんな家庭ではまともな子供が育つわけがないから子供を手放せ。と、白人が、白人の視点で判断し、幼い子供を実の親から取り上げて自分たちのスタンダードの枠組みの中で矯正・養育しようとしたのである。

こういうことは、二十一世紀の英国社会に住む貧困層非白人家庭にだって起こり得るということを彼女は知っていた。なんというか、この辺り、ちっとも変わっとらんのである。

「でも、自分はとても幸運だったと思います。自分は成人してから、先住民の両親とも交流をはじめました。今は、どちらの親ともいい関係を保っています」

「きっとそういうケースは稀でしょうね」

「英国に来る前に、二組の親を招いて、カナダの家でディナーをしました。あれが、僕にとっては何か節目というか、ビッグな出来事でした」

というへヴィーなことを、真田人形似の男性は爽やかな口調で喋る。

「きちんと整理されているというか、きれいに落ち着いているのがすごいですね」

「もし政府が自分を里親に預けなかったとすれば、自分は大学で教えることのできるような学歴は持ってなかったでしょう。それはリアリスティックに認めなくてはいけない」

「だけど、あなたの遺伝子に染みついている文化は、白人社会のそれじゃないですよね」

「遺伝子は後天的な経験によって大きく変化するという学説がありますよ」と真田は笑う。


皺くちゃのポール・ウェラーことRが、そのうち全然子供向きじゃない音楽をかけはじめ、六歳児の誕生パーティはいつの間にか九〇年代ブリットポップ懐メロ大会と化していた。

「あ。この曲、自分、好きなんですよね」と真田がつぶやく。


怒りを込めて振り返るな。か。

ぼんやりしている彼女の前を、ピンク色のスクーターに乗った真田の娘がするすると通り過ぎていく。真田の妻は白人の米国人だそうだが、娘のルックスは北米先住民の血を濃厚に受け継いでいる。人間には、矯正しようとしてもできない何かが必ずある。

「この曲の一番凄い歌詞はどこだと思いますか？」と闇雲に真田が尋ねてきた。

「サビ部分でしょう」

「自分的には、ラストの一文ですけどね」

最後の一文って、何だったっけ？　と彼女は思った。

怒りを込めて振り返るな。

怒りを込めて振り返るな。とノエル・ギャラガーは熱唱している。

素足で自分の許に駆けて来た娘を抱き上げ、元北米先住民の大学の先生は必死で靴を履かせようとしていた。その背後には、今日もラリってるのかなと思うほど陽気にノリノリで踊っているRを、無言で凝視しているHの冷たい視線。褐色の肌の少女は靴を履くのを拒否して暴れ、大学の先生のポール・スミスが砂だらけになる。元妻の刺すような目線に気づいたRが、中指を突き上げファック・オフの意志表示をする。

怒りを込めて振り返るな。
怒りを込めて振り返るな。

と君が言うのが聞こえた。

せめて、今日だけでも。

ああ、そうだったか。
と彼女は最後の一文を確認しながら思った。
彼は、その「今日」をひたすら繰り返しながら生きてきたのかもしれない。血とか家族とか民族とかいうやつは、きっとどこまでもその意志の反復なのだ。

（初出：THE BRADY BLOG　二〇一一年十月十一日）

石で出来ている

隣家の息子というキャラが昔のわたしの書き物には頻繁に登場した。が、ここのところ登場しなくなったからと言って何処かに行ったとかいうわけではなく、現在でも彼は隣家に住んでいる。

思えば、これが貧民街の特徴なのである。

みんな、現在でも、いつまでたっても同じ家に住んでいる。親の家を飛び出して、自立したり、彼女を妊娠させて所帯を持ったりした者も、さまざまのものを破たんさせてすぐ実家に帰ってくる。

思えば七年前、わたしが雑文をしたためはじめた頃の隣家の息子は、十代であった。それがいつの間にか二十代になり、成人した頃にはすでに「週末にしか子供には会えない」タイプの父親となっており、今夏のロンドン暴動の折には、フディーズの暴れぶりをニュースで見ながら、老人のように背中を丸めて紅茶を飲んでいた（彼はアルコール依存症となってぐじゅぐじゅと大変だった時期もあったが、子供に会う権利を失わないためにリハビリした)。

「あんただって、フードで顔隠して、うちの前の電話ボックスのガラス全部打ち割って、てっぺんにブッダみたいな姿勢で座ってたじゃない。あたしあの頃ロンドンで働いてたから帰ってくるの遅かったけど、暗闇で見ると、電話ボックスの上にあぐらをかいてるあんたの姿はかなり怖かったよ」

「ははは。そんなこともあったっけ」

「あったよ。あの頃のあんたなら、ロンドン行って参加してただろうね、この暴動」

と言うと、隣家の息子はむっつりと黙り込む。

彼の横顔を見ながら思う。

ブラッド・ピットと言えば言い過ぎだが、昨今話題になっているピアース・ブロスナンの息子などと比べると、はっきり言ってよっぽどハンサムである。わたしがロンドンの日系企業で働いていた時代に同室内にいた〝オックスブリッジ〟卒業の英国人たちよりも、よっぽどリアリスティックで面白い発言ができる頭脳のシャープさもある。

だのに、なんだかわたしの日本の親父みたいな土建屋仕事をやっていると思ったら、なんかそれもすぐやめて自分のビジネスをはじめ、ところがすぐに借金まみれとなり、結局は無職の人となって貧民街に帰って来た。という彼のこれまでの経歴を考えると、天賦のルックスや頭脳を全く上手く使えてないような気がしてしょうがない。

タクシー運転手として働いている彼の母親は言う。

「アスペルガー症候群だからでしょ。小さい頃から、いいところまでいっても何ひとつ達成できない」

という隣家のマザーは、生まれた時からこの街に住んでいるという貧民街のベテランだ。幼い頃に実の父親から性的虐待を受けたそうで、それが原因となって長く鬱病を患っていたが、子を産んでから奇跡的に治ったという。しかしそれでも、息子を妊娠中には酒やドラッグを大量にたしなんでいたので、彼のアスペルガーは自分のせいではないかと自らを責める夜もあり、そんな夜にはきまってパブで泣きながらカラオケを熱唱している。

そんな隣家のもう一軒向こうの家には、老女が在住しており、彼女の三十代の息子は革のハンドバッグを腕に下げて緑色のジャージを身にまとい、ブライトンの街中から貧民街まで二時間半かけて徒歩で往復することを日課にしている。無職なので時間を持て余しているのか、一日に二往復とか三往復とかしていることもあり、顔に白々おしろいを塗っていたり、緑色のジャージの上着の下は白いブリーフ一丁の時もあって、そういう人がひょこひょこと舗道を歩いているものだから、五歳になるうちの息子が「なんであの人、パンツ一丁なの？」と尋ねて来る時などは返す言葉に苦しむが、とりあえず、「あんまり目を合わさない方がいいよ」と答えるようにしている。

その隣には、昨年、一家の大黒柱であった父親を亡くし、母親から「あんたとは一緒に住めない」と言って見捨てられた四十代の男性がひとりで住んでおり、この人もやはり無職なわけだが、いつも迷彩柄の軍人のような格好をして、意味もなく路上で通行人に罵声を浴びせてるかと思うと、ひとりで涙を流しながら笑っていることもあるため、彼なども「あの人とも目は合わさない方がいいよ」とわたしが五歳児に言っている近所の住人のひとりだ。

その迷彩柄の男性宅の向かいの家も、やはり無職の中年男性のひとり住まいだ。彼はシングルマザーとして自分を育てた認知症の母親を長年介護したのだが、その母親が二年前に亡くなったのを機に、「世の終わりは近い。その時、君はどんなことをした人間として神に裁かれたいか」とぶつぶつ独り言を言いながら歩く人となったため、やはり「目を合わさない方がいい」隣人になった。

平均寿命が延びているのは日本だけでなく英国もそうである。が、貧民街の人びとは例外らしく、だいたい五十代後半から六十代で亡くなる。そして残された子供の中で今でもこの辺に住んでいる人びとは、例外なく無職で、何らかの精神的疾患があったり、障害者と認定されている場合が多い。そういう人びとだから仕事が出来ないのか、仕事をしていないからそういう病を患ったり、あるいは障害者認定をもらって生活保護を受給する戦略に出るのか、それはわからない。
わからないが、前途洋々としているはずの五歳児を育てるには暗い環境である。あんまり目を合わさない方がいい大人がたくさんいる街で、これから大人になっていく子供の目には何が見えているのだろう。

「時折、僕は夢想する。
ストリートは冷たく、寂しく、
見下ろせば、車が何台も燃えている。
そういう光景で目を一杯にしちゃいけない。
ストリートは冷たく、寂しく、
見下ろせば、車が何台も燃えている」

介護していた母親を亡くして何らかの〝神〟を宣教しながら歩く人になった中年男性の家から、今日も大音量でストーン・ローゼスの曲が聞こえて来る。
「再結成するって、聞いた？　再結成って、何だろうね、今さら」

過日、スーパーの買い物袋をさげて坂をのぼっていたわたしの方に歩き寄って来て、彼は小首を傾げながらそう言ったのだった。

「時折、僕は夢想する。
ストリートは冷たく、寂しく、
見下ろせば、車が何台も燃えている。
そういう光景で目を一杯にしちゃいけない」

小雨がぴしぴし降り落ちる貧民街の夜は冷たい。
この国の霧と貧しさと暗闇に情け容赦はない。
この街は石で出来ている。

「ストリートは冷たく、寂しく、
見下ろせば、車が何台も燃えている。
君は孤独なのかい？
家には誰かいるのかい？」

未だくすぶる炎の如き橙の街灯の下を、フードを被った少年がゆらゆら歩き過ぎていった。

（初出：THE BRADY BLOG　二〇一一年十一月十五日）

愛は負ける

エイミー・ワインハウスの死因は、ドラッグのオーヴァードーズでもなければ、アルコール依存症でもなかった。摂食障害だった。ということを、つい最近、彼女の兄が公の場で言った。

それはある意味で、オーヴァードーズより、依存症で亡くなる死より酷たらしいことに思えるので、今さらそういうことを言うのはどうなのかとも思うが、それはそれで若い娘たちへの警告として発されたのかもしれないし、血縁者の死を乗り超えたところでの社会への警鐘なのかもしれない。

UKの女性たちの服のサイズは、わたしが渡英した頃に比べて遥かに小さくなっている。九〇年代の中盤には、日本人の標準サイズである八号（日本では九号）の服を英国のショップで見つけることは至難の業であった。が、しかし現在では、八号はおろか、六号サイズも普通に置いてあるし、米国で〝サイズ・ゼロ〟と呼ばれる四号サイズを置いている店もある。

若い娘たちをターゲットにしているハイ・ストリートの店にその現象は顕著だ。「サイズなんて関係ないじゃないの。男に選ばれようとしてはダメ」と古いタイプのフェミニストは言う。「私が痩せたいのは、男ではなく、自分で自分のことを愛せる外見になりたいから」と若い娘たちは言う。

それは常に平行線を辿り、別の美意識に基づいた主義主張だから仕方ないわけだが、久しぶりにエイミー・ワインハウスを聴きながら思うのは、彼女はそのどちらとも違っていたということである。

エイミーは、フェミニストでもなく、娘でもなかった。女だった。

男の精子を体内に受け入れて子を孕む性の人間が持つ業のようなものを、人一倍濃く持ち合わせたシンガーだった。傍から見ればくだらないとしか言いようのないヒモ男に惚れ、惚れ抜いて、自らの天才を無駄にしたこの女は、"Love Is A Losing Game" という名曲を残している。

愛は負ける。負けない愛など、愛ではないのだ。

が、勝つことや全てを手に入れることが女の強さだと見なされる時代に、泥酔でもしなければ、ラリらなければ、そんな歌は歌えなかったかもしれない。

愛すれば負けるのが本当だ。とエイミーは歌う。そして勝ちたい女たちは、タブロイドにばら撒かれたエイミーの写真を見て嘲笑し、敗者の醜さを嬉々として噂し合った。

エイミー・ワインハウスは、ロンドンのブラック・キャブの運転手の娘として生まれた。この父親はアマチュアのジャズ・シンガーとして活動していた人（今もしている）で、幼い娘をジャズの世界に導き、ごく早い時期から娘の才能に気づいて、その生涯をエイミー・ワインハウスという歌手をブレイクさせることに捧げた男である。ダディっ子だったというエイミーは、デビュー・アルバム『フランク』を父親に捧げた。フランク（・シナトラ）は、父親が敬愛するシンガーであり、このファーストでのエイミーは、まさに女性版シナトラにもなれただろう卓越したジャズ・シンガーである。めっちゃ巧い。二十代ですでに円熟している。それは彼女の声から感じられるシルキーな余裕のせいかもしれない。無条件の愛を父親に注がれ、愛を返していた頃のエイミーには余裕があった。英語で言うなら、comfortableだったのである。

が、セカンドの『バック・トゥ・ブラック』のエイミーは、全然シナトラではなくなっていた。どの国の、どんな娘たちが歩む道も同じである。エイミーのライフには、父親より重要な男が登場していた。

セクシーなユダヤ系のお嬢さん。みたいな、コンサヴァ・ファッションだった彼女が、いきなり拒食症のパール・ハーバー（クラッシュ世代の中年ならご存知だろう）みたいな姿になって、R&B、ソウル、モータウンの影響を色濃く出したアルバムを発表した。

二〇〇六年のジュールズ・ホランドの年越し番組に出演した時の彼女を今でも鮮烈に覚えている。エイミーは、恋人のブレイク・フィールダー・シヴィルの膝の上に座り、ねっとりと人目もはばからずに舌を絡ませてキスしていた。カメラがまわっていなければ、そのままスタジオ内でセックスをはじめそうな勢いだった。

ふたりとも、完全に目がとんでいた。酒でとんでいるのか、ドラッグでとんでいるのか、性欲でとんでいるのか。おそらくその全てだったのだろう。エイミーは、とんだままの目つきで出てきて、ステージに立った。どうしてそんな奇怪なダンスをするのか、ミニスカートを両手でひらひらまくり上げ、太腿をあらわに露出する。

アタシ、本当はこんなことやってるより、あんたと続きをやりたいのよ。

そうブレイクに言っているようだった。が、エイミーが奇妙な動作でたくし上げるスカートから覗く太腿は、少しも色っぽくなかった。ガリガリに痩せ細って病的だった。

エイミーは虚ろに口を開き、どうでも良さそうな顔つきで歌いはじめる。

その歌声はファッキン・ジーニアスだった。

こういう人は長く生きられないだろうと思った。そしてそれは本当のことになった。

エイミーと会った時、ビデオ製作会社のアシスタントをしていたブレイクは、エイミーの音楽とファッションの趣味を一変させ、彼女にヘロインを教えた男である。一度はブレイクに捨てられたエイミーが、死のうと思いながら書いたのが『バック・トゥ・ブラック』の収録曲だった。そしてこのアルバムを聴いたブレイクは、エイミーのもとに戻ってくる。

二十一世紀のシド&ナンシー。男女の役割が逆転したカート&コートニー。とマスコミに呼ばれた彼らの醜態は、毎日のようにタブロイドの紙面を飾った。顔に青あざを作って裸足でブレイクと買い物に出るエイミーや、首や腕から血を流しながらブレイクに手をひかれて歩いているエイミー。ブレイクがパブ店主への暴行で逮捕され、禁固刑に処されてからは、服も着ずに夜中にカムデンの街を彷徨うエイミーの姿が目撃された。「マイ・ベイビーがいないと歌えない」と、エイミーはツアーも中止する。たったひとりの無職男のために、彼女は自らの天才を無駄にした。

そうした愚かしい記事を目にする度、女たちはエイミーを嘲笑し、冷笑しながら、内心、ほっと胸を撫で下ろしていたのである。

ああ私、男とか愛とかに負けてなくて良かった。と。

YouTubeを見ていて、スリッツのアリ・アップとテッサがビリー・ホリデイについて語っている映像を見つけた。「ビリー・ホリデイの声にはソウルがある。こんな風に魂から出て来るエモーションを歌えるシンガーは、今はいない」と主張するテッサに、アリが言った。

「今の女の子たちは、男に去られてもFuck it!って感じで、あの時代の人たちのように気に病まないからでしょ。そういうソウルはもう出ないと思うわ」

エイミー・ワインハウスは、よくそのビリー・ホリデイと比較されたものだが、彼女の歌声からわたしが思い出すのは、美空ひばりとエディット・ピアフだ。小林旭と別れたひばりが泣きながら歌った〝悲しい酒〟や、飛行機事故で恋人を失ったピアフが歌う〝愛の賛歌〟は、どちらもエイミーのヴァージョンを聴きたかった歌である。

彼女たちの歌声には、どうしようもない温かみがある。

すぐ男とか愛とかに負けてしまう女の、ぬくもりがあるのだ。

「元始、女性は実に太陽であつた。真正の人であつた。今、女性は月である。他に依つて生き、他の光によつて輝く、病人のやうな蒼白い顔の月である」

と、平塚らいてうは書いた。

たしかにブレイクと恋に落ちてからのエイミーは、いつも病人のような青白い顔をしていた。

けれど、男に負ける全ての女が月になるわけではないだろう。男に負けて、そのことを歌って、人のこころを熱く溶かす太陽になる女もいる。

エイミー・ワインハウスは、実に太陽であった。真正の歌手であった。

（単行本時の書き下ろし）

モリッシーのロンドン五輪批判発言の「痛み」

「かのイベントを浸している声高々な愛国主義のせいで、自分はオリンピックを見ることができない。イングランドが、こんなに恥ずかしいほど愛国主義的だったことがあっただろうか。『まばゆいばかりの王室』が、まあ当然のことではあるが、彼らの経験に基づくニーズによってオリンピックをハイジャックしており、言論の自由を持つ報道機関は、反対の声をあげることも許されていない。こんなものを見ていると、死にそうになる。突如としてロンドンが超リッチなブランドとして宣伝されているが、ロンドンの外側のイングランドは、予算削減の政権下で、苦しい状況や最悪の経済に震えている。一方で、あたかもそれが英国社会に一体感をもたらすかのように、英国メディアは『まばゆいばかりの王室』を二十四時間報道し続ける。最近、ギリシャを車で走っていて、ありとあらゆる全ての壁に書かれている落書きに気づいた。大きな青い文字で、『目を覚ませ、目を覚ませ』と書かれていた。それは、英国の大衆を思い浮かべながら書かれたものだったかもしれない。なぜなら、現在はまるで一九三九年のドイツのようなスピリットが充満しているが、二〇一三年にはロード・ベッカムとレイディ・ベッカムが誕生しているという、不可避なグロテスク。それは本当に、ライフよりもむごい宿命だ。目を覚ませ、目を覚ませ」

という声明を、ファンサイトへの公開レターという形で出したモリッシーは、とても、本質的に、致命的なほど時代遅れの人なのだと思う。

しかし、八〇年代というのはそういう時代であった。

ヤッピーだの金融バブルだのがひらひら踊る時代でありながら、その一方では、陰気で貧しい若者たちが、不格好なほど真面目で社会的なメッセージを口にしたり、歌にしたりして表現した時代であったのだ。

巷では八〇年代ファッションが本格的に復活している。ショーウィンドウのマネキンが着ている服を見て、ノスタルジックな嫌悪感を覚えて赤面している中年は、おそらくわたしだけではないだろう。あの、なんというか両手に顔を埋めていっそ無かったことにしてしまいたいような八〇年代の痛さ。モリッシーは、リヴァイヴァルやファッションではなく、今でもそれを地でいっている。

と思っていると、昨日は上記のモリッシーの発言が Yahoo! UK & Ireland のトップニュースにあがっていた。

ということは、英国のメディアや、それがターゲットとして市場分析している英国の大衆には、今でもまだちょっとは痛いところがあるということなのか。

「ロンドンの街はモダンでクール」

というツーリストの印象とは全く別のところで、この国の「痛さ」の真骨頂は今でも脈々と、逞しく息づいている。

目を覚ませ、

耳を澄ませ。

（初出：THE BRADY BLOG　二〇一一年八月八日）

イミグランツ・イン・ザ・UK

五輪閉会式にはあれだけ多くの英国のバンドやミュージシャンが出演していたというのに、うちの息子が最も強列な印象を受けたのはなぜかエリック・アイドルだったらしく、夏以来、頻繁に『Always Look On The Bright Side Of Life』を歌っているので母親としては困惑する。

というのも、『Life of Brian』というモンティ・パイソンの名作映画で使われたこの楽曲の歌詞には、「Life is a piece of shit」、すなわち「人生は一片のクソ」というわたしの座右の銘が含まれているからであり、なにげに血の呪いのようなものを感じてしまうからだ。しかも、この曲が英国民を対象とした「自分の葬儀にかけたい曲」調査で上位に選ばれていることを鑑みれば、何も六歳児が葬式用の歌を気に入らなくともいいんじゃないかと思うのだが、どうやら彼が気に入ったのは、歌そのものではなかったらしい。

「Always look on the bright side of life, dada-dada-dada-dada, で、ここでイン

ド人の人たちが入って来て、だんだんだらら、だだんだんだんって腰振って踊るんだよ」

と言って、息子はボリウッド風のダンスを真似、きゃらきゃら笑いながら腰を振りはじめる。海外であの演出がどう受け止められたのかはわからないが、あれはロンドンを象徴したものであり、ひいては英国全体を象徴したものだったと言えるだろう。

モンティ・パイソン。という古い時代を代表する英国人が、金銀原色の衣装に身を包んだボリウッド系ダンサーたちに囲まれて、「What the hell is going on here?」みたいな困惑した表情をするシーン。あれは、ロンドンには英国人が住む家が一軒もないというストリートさえ存在し、インド・パキスタン&バングラデシュ系移民やアフリカ系移民などの台頭が著しい。という現実のメタファーであり、つまり、どんどん外から来た人々が増えていく英国の姿を象徴していたのである。

その増えている外国人のひとりであるわたしとしては、あんなシーンを作って笑いを取ろうとした制作側や、あれを見て自宅で「ははは」と笑っている英国人の諦念まみれの寛容性というものを改めて思い知らされたのであり、「ファッキン・チンク」と往来でどやされることがある身にしても、その点は認めずにはいられない。

あれを見て笑っている英国人は自虐的なのではない。

リアリストなのである。

んなわけで、この国に暮らしていると、いろんな国からいろんな事情で移住して来た外国人と触れ合うことになるわけだが、わたしにも懇意にしているイラン人の友人がいる。彼女は、ほんの四年前までテヘランの私立のお嬢様学校で小学部教員をしていたそうだが、英国では自国の教員資格が使えないため、とりあえず短期間で取れる保育士の資格を取って労働している。彼女の夫は、政府に睨まれるようなことを書いたジャーナリストだったそうだが、英国では大学院に籍を置く傍ら、バーガーキングでバイトしている。

ボブ・ディランが大好きだという彼女は、例えば保育コースで配布されるプリントが彼女の席まで届かなかったりすると、「これは私に対する政治的制裁ですか」とブラックジョークを飛ばして周囲を爆笑させるような人で、気が合うのでコメディや音楽の話はよくするが、政治については何故か話したことがない。

わたしはそれが彼女や彼女の夫にとって一番大きなサブジェクトであることを知っている。というか、それが彼らのライフを決定している要因であることを知っている。

だからこそ、訊けない。物見遊山のわたしには、彼女と政治を語り合うことはできないような気がする。

そんなわけで、彼女とは一度もイラン情勢について話したことがなかった。が、つい先日、三週間イランに里帰りして来た彼女が、ふと言ったのである。

「一番おかしいのは、どんなコメディ・スケッチより、自国の庶民だということを再確認した」

闇雲にそんな言葉を投げられたので沈黙していると、彼女は言う。

「怒りとか、絶望とかを通り越して、もう笑える。何なんだろう、こいつらは。って」

「……」

「おいしいものを食べて駄弁って盛り上がるのが大好きなの。あの国の人びとは。そして、そういう時間さえ持てれば、後のことはもう見なくていい。何か辛いこととか、不当に扱われているんじゃないかっていう引っかかりがあったとしても、ま、いっかー。みたいな感じでうやむやになる」

「……」

「外側からいくら干渉したところで、人びとの内側からそれがはじまらない限り、あの国は変わらない。でも、それがいま、マジで食えなくなって来ているから、ようやく何かが起きるのかもしれない。もう、そこまで行かないと物を考えないのか、と思うとね、本当に気が抜けるっていうか、ただもう、笑える」

疲れた笑顔を浮かべて言う彼女に、わたしは意を決して尋ねてみる。

「……だから、あなたたちは出て来たんでしょ。娘さんのために」

彼女はすんと澄んだ目でわたしを見て、ため息をつき、頷いた。

「英国でも、日本でも、わたしたちは政治についてぶーたれる。けど、そこで自分の子どもを育てたくないという理由だけのために、素っ裸で外に出て行く人なんて、いない。だから、それを本気でしなきゃならない国。という感覚は、正直言ってわからない」

わたしが言うと、彼女は学校の先生の顔になって、きりっと言った。

「ポリティクスというより、ピープルなのよ。自分で物を考えられる人間をつくるのは、インフォメーションとエデュケーションだ。私の国では、一方は遮断されて、もう一方は腐っている」

テヘランで暮らしていた頃の彼女たちの写真を見れば、祖国では何不自由ないミドルクラスのインテリゲンチャだったのだろうが、何の因果かいまはわたしと薄汚れたマクドナルドでコーヒーをすすりながら、カップホルダーについた特典シールを集めて「やった！　次回のコーヒー無料」などと言っている。

「イランっていえば、こないだ面白い記事が『ガーディアン』のブログに出てたんだけど」

「ああ、あのパンク記事でしょ。旦那が翻訳してたわ。彼もああいうの好きだから」

「Punk's not dead - it just emigrated（移住した）…」というタイトルのその記事は、パンクは英国では懐古する対象になってしまったが、キューバやイランなどの国では生きている。という論旨の書き物であった。

「けど、映画監督とか、そういう人間だけを取り上げられてもね。庶民レヴェルでは全然違うもん。あれも外からイランを見ている人の幻想だと思う」

醒めた口調で彼女は言った。

「でも、音楽はとても大切。私たちのような国に住む人間にとって、外国の音楽はインフォメーションだ。だから、若い人たちに興味を持ってもらうきっかけになればと思って、旦那はあれを訳してたみたい」

と言いながら、彼女はコーヒー無料特典シールが六枚貼られたカードを財布に入れた。

そろそろ彼女もわたしも別々の保育施設に出勤する時間である。

「ところで、息子くんは元気にしてる？」

彼女は椅子から立ち上がりつつ、うちの息子について訊いた。うちの息子は彼女には妙になついていて、時々ベビーシッターになってもらっている。

「まだエリック・アイドルになって歌ってるよ」

「いいセンスしてるよ。あの閉会式でリアルだったのは、あの部分だけだったもん」

彼女はそう言って逞しく笑い、

「Always walk on the Brighten side of life...」

というベタな替え歌をからからと歌いながらブライトンの往来を歩くもんだから、すれ違う人びとが振り返って笑っている。きっと母国では、ひょうきんでリベラルな先生だったんだろう。と思う。

反吐が出るほど母国に絶望していても、彼らはひたすら英文記事を訳して、ブロックされない発信法を模索し、試行錯誤しながら送り続ける。

愛国者だけが国を愛しているとは限らない。

愛国者とは違う立場を取りながら、国を思い切れない人たちもいる。

「イングリッシュという人種が嫌いだからという理由で、あんな歌は書かない。あんな歌を書く理由は、彼らを愛しているからだ」

ジョン・ライドンは〝God Save the Queen〟についてそう語ったことがある。ある朝、起き抜けにビーンズ・オン・トーストを食べながら一気に書きあげたのが〝God Save the Queen〟の歌詞だったそうだが、それをライドンに書かせたものと友人夫婦が捨てきれないものは、それほど違わないように思える。

国家というアイデンティティを愛する人間と、たまたまそこに住んでいる人びとを愛する人間。それは、幻想を愛するロマンティストと、実存を愛するリアリストと言い換えることもできる。

結局、ポリティカルな立ち位置というものは、各人の愛のベクトルで決まるのかもしれない。

きーんと晴れた秋空の下、わたしたちはハグを交わして別れた。

「いいね、こんな日は、すべてが良い方向に向かうような気がする」

そう言って背後からサンシャインを浴びていた友人の姿が印象に残ったが、ここはやはり英国なので、五分後にはざばざば大雨が降っていた。

豪雨が車窓を叩きつけ、遠くで雷まで鳴りはじめた現状を眺めながら、別ルートのバスに乗った友人がやっぱり大笑いしているだろうことをわたしは知っていた。

（初出：web ele-king Oct 03, 2012）

アナキーな、あまりにアナキーな（現実）

「ローマ教皇がやめるんだってさ」とわたしが言うと、

「そら、よっぽどヤバイことが明るみに出るんだろうな。これから」と連合いは言った。

先週、アイリッシュ系のご家庭では、わりとこういう会話が交わされたのではないだろうか。

「聞いた？　教皇のニュース」とわたしが言うと、

「まるで『Father Ted』のネタみたいだよね。リタイアした教皇が、プールサイドに寝そべって、ビキニ姿の女の子たちを周りにはべらせてたりしそう、あの番組だったら」

と、あるダブリン出身の女性は言った。

『Father Ted』というのは、英国C4が誇るカルト・コメディであり、アイルランドに住むカトリック聖職者たちの日常を辛辣におちょくったコメディだ。九〇年代に制作された番組だが、実に先鋭的で、あれを見ていると、あの国の聖職者たちはみなアイリッシュ・マフィアのようである。

その内容があまりに過激なため、当初アイルランドでは放送されなかったが、「おもしろい」という噂が海外から入ってくるにつれ、衛星のパラボラアンテナで受信して見る人が増え、済し崩し的にアイルランドでも放映がはじまったという経緯があった。

八〇年代には、「完璧な人間などいないからね。司教様を除けば」というようなことを一般市民が普通に言っていた国である。その国の人びとが、「ドリンク！　ガールズ！　ファック！」と年がら年中叫んでいるアルコール依存症の神父や、カリフォルニアにセクシーな愛人と子どもを囲っている司教を見てげらげら笑う時代になったというのだから、わずか十年やそこらであの国で起きた価値観の転換には劇的なものがある。

とは言え、アイルランド系のミュージシャンたちは、昔から教会の荒廃ぶりについて告発してきた。

ロンドンのカトリック校で修道女たちに折檻された悲惨な経験を繰り返し語ってきたのがジョン・ライドン（『Father Ted』では、ジャック神父が若い頃にこうした学校で猛威をふるい、教え子のなかからシリアルキラーを出したという設定になっている）なら、カトリック系感化院で聖職者に虐待されたというシネイド・オコナーは、ステージで教皇ヨハネ・パウロ二世の写真を破ったことがある。「教皇ベネディクト十六世の最大の功績は辞任すること。これから、最悪の教会の恥部が明らかになるから」と、シネイドは最近『ガーディアン』紙に語っている。

とはいえ、教皇退任やカトリック教会のスキャンダルはアイルランド系限定の問題なのかというとそうではない。実は英国でも最近、英国国教会の信徒数をカトリック教会の信徒数が上回るといった逆転状況が起きている。これは英国人がカトリックに改宗しているというわけではなく、ポーランド人などの移民が増えたからだ。うちの息子も公立のカトリック校に通っているが、彼の級友なども、アイリッシュ、アフリカン、ポーリッシュなど、実にインターナショナルである。この国のカトリック人口を押し上げているのは、移民とその子供たちなのだと実感できる。

過日、某アナキスト団体で活躍しているインテリ・ヒッピー系の英国人女性とスーパーマーケットで数年ぶりに会った。とても普通の学校には通ってなさそうなドレッドヘアの娘の手を引いている彼女は、制服の白シャツにネクタイを締めているうちの息子を見て、言った。

「あなたの息子は、カトリックの小学校に行ってるんだよね？」

「うん」

「いいわねえ」

へっ？　天下のアナキストが、カトリック校を羨ましがるわけ？　と拍子抜けしていると、彼女は言う。

「うちは結局、ホーム・エデュケーションよ。行かせたい学校には入れなくて。厳格に躾けてくれるカトリックの学校に行かせたかったんだけど」


彼女の見解は、近年、この国の人びとのコンセンサスになっているとも言える。たとえ生徒に罵声を浴びせられようとも殴られようとも、ただ微笑んで耐えるしかない教員たちにとり、「何よりも子どもの人権優先」のリベラルな学校現場は地獄のような職場になっているとも聞く。そんな学校教育が生み出したのが、二年前のロンドン暴動で暴れていた野獣のような子どもたちだ。というようなマスコミの見方が浸透するにつれ、「一般の学校より厳格」と言われるカトリック校の人気が上昇しており、子供をカトリック校に通わせるために改宗する家庭もあるらしい（在英日本人ですら、そういうご家庭があるようだ）。

しかし、聖職者による子供たちへの性的虐待が一大スキャンダルになったカトリックの学校が、いまなぜかペアレンツたちのあいだで大人気。というのも、考えてみればアナキーな話だ。

アナキスト女性が抱えたショッピング・バスケットのなかに、毒々しい色のパッケージのチョコレートやポテトチップスが入っているのが見えた。あれ？　と思う。彼女の子供が赤ん坊だった時分け、娘をスリングで胸元にさげて、アナキスト団体の無農薬菜園でせっせと働いていた人だったように記憶している。

徹底抗戦。はもうやめたのだろうか。

「この子を学校に通わせられたら、自分の時間ができて、もっと活動もできるんだろうけど、ホーム・エデュケーションだからそうも行かない」

疲れた顔つきで彼女はそう言い、「バーイ」と手を振って買い物を続けた。

徹底抗戦。には暇もいるんだろう、と思った。

が、レリジョンやポリティクスといった分野の権威がことごとく『Father Ted』化して溶解している時代に、アナキストを自称する人びとは、いったい何と戦おうというのだろう。突き崩さなくともいろんなものがガラガラ崩れ落ちている、現実が一番アナキーな時代に、アナキストでいるというのもけっこう大変そうである。

仕事帰りや学校帰りの人びとに混じり、バスケットに食品を詰め続けるアナキスト母子の姿はわりと普通の消費者に見えた。

彼女はきっと、自分のバスケットに入っている食品のすべてが有害だと思っている。思っていながら、食らうために有害物を籠に入れ続ける。それは、アナキックではないが、アイロニックだ。抗戦ではないが、生きる。ということだ。

「ヒッピーの女の子って可愛い子が多いよね」

と、にやにやしている息子の手を引いて、わたしもショッピングを続けた。

夕方のスーパーマーケットは、まるで禊でも受けるような陰鬱な顔で下を向き、黙々とバスケットに物を入れ続ける人間で溢れている。

（初出：web ele-king Feb 21, 2013）

仮想レイシズム。現実レイシズム

職場では月一回の頻度でインハウス・トレーニング（職場内研修）というのがあり、さまざまなテーマの研修（という名の夜間残業）がある。

んで、このテの研修でわたしがもっとも恐れているのが「ワークショップ」と呼ばれる形態のものである。この「ワークショップ」は、演劇的色彩が濃く、要するに、たとえば「保護者との関係構築」というテーマでワークショップがあったとしよう。すると、ある者は保護者の役を、またある者は「良い保育士」または「悪い保育士」の役を演じさせられるわけであり、それでなくとも人一倍ノリの悪い東洋人のおばはんであるわたしなどは、いったいどうしてこの人たちはこんなことをするのか、シェイクスピアの国だからなのか。と呆れることも度々で、実に疲労困憊する研修なのである。

ほんで。先日もそういうのがあった。

研修のタイトルは「EAL（English as an additional language）」。英国の保育施設では、

英語を母国語としない子供が激増している。で、そうした子供たちへの効果的な指導法と保育法を学ぶという主旨の研修だったわけだが、その後半部分に、問題のワークショップが組み込まれていた。

「Inclusion」（要するに、人種、性的嗜好、障害の有無などとは関係なく、全ての人びとを平等に社会に受け入れよう、というアレだ）を考察する目的で、出席者をふたつのグループに分け、一方は英国人チーム、もう片方は外国人チームになって、それぞれの立場から議論せねばならぬらしい。

外国人チームといっても、うちの職場では外国人はわたしだけである。それとなく、しかし有無を言わさず外国人チームに入れられたので、やっぱりね。と思っていると、早速ワークショップがはじまった。英国人チームは「保育園での Inclusion の推進に抵抗感を持つペアレンツ」として、なりきり外国人（＋リアル一名）チームは「英国の保育園に子供を預けている移民ペアレンツ」として、ディスカッションをしろという。

「では、まず、英国人保護者の方々にお聞きします。Inclusion の推進に抵抗を感じておられるのは、何故ですか？　理由を挙げてください」

と講師が言った。

暫くざわざわしていた英国人チームから、ためらいがちに意見が出て来た。

「まず、言葉ですね。自分の子供が、外国人の子供たちと混ざって、妙な英語を覚えて帰って来たりすると困ります」

「あと、英語が喋れない子供って、どうしても先生たちの時間を取りがちですよね。その間、自分の子供は誰が見てるんだろうって」

ありきたりの意見が出た後で、講師が言った。

「では、外国人保護者にお聞きします。自分や自分の子供たちが、英国の保育施設にオファーできる、ポジティヴな点とは何でしょう」

「実際、この国はこれだけ外国人が多いのだから、幼児のうちからミックスした状態で育った方が良いと思う。慣れる、っていうか」

「それから、言葉や文化の多様性というのは、子供たちの世界を広げますよね」

「そうそう。海外旅行に行かなくとも世界を体験できる環境って素晴らしいことです」

同僚のひとりが、インド・パキスタン系の人びとの英語のアクセントを真似てそう言うと、どっと笑いが起きた。「エクセレント！」と親指を突き上げて、講師までウケている。

と、英国人チームのKが言った。

「価値観とか、文化とか、そういうことじゃなくて、もっと目に見える形で、外国人は英国人に迷惑かけてると思うけど」

和気藹々となっていた室内の雰囲気を一変するような、尖った口調だった。

「だいたい、園で運動会だの何だのイベントがある度、中心になって手伝っているのは、いつも英国人の保護者だ。外国人はそういう時に参加して来ない」

レトロな髪型をした二十代前半のKは言う。といっても、彼女の場合、アデルのようないま流行りの女の子レトロではない。ポール・ウェラーのような髪をして、水玉のシャツにモッズコートを着て出勤してくるKには、レズビアンだという噂もある。

「英語が喋れないとか、外国人の親はすぐ言い訳するけど、喋れないなら英国にいるべきじゃないと思う」

「そういう言い方、ひどくない？」

外国人チームのSが言った。

「でも、これワークショップでしょ？　外国人嫌いの保護者の視点で言ってるんだけど」

とKが言うと、講師もうなずく。

「だいたい、移民の子供はお金がかかるしね。英語が喋れなきゃ通訳も雇わなきゃいけないし。勝手にこの国に来ちゃった人たちを、どうして英国人のコストでケアする必要があるの」

脇に座っているSが、わたしの方をちらりと見る。真っ直ぐな気立ての子だから、リアル外国人であるわたしに気をつかっているのだろう。

「困ってる人たちを助けるのは道理でしょ。自分が外国人の立場に立って考えてみなよ」

「でも、私は外国に行って住んだりしないし、そこの国の人たちに迷惑かけたりしないもの」と言っているKも、実はわたしにとっては仲が良いほうの同僚だった。

園のスタッフ休憩室のテーブルには、ゴシップ誌の山と、『NME』の山とふたつあるのだが、Kとわたしは後者を順番に買って持ち寄るグループに属している。

「うちの姉の子供は、家の周辺に外国人がたくさん引っ越して来たせいで、近所の小学校に入れなかった。バスに三十分乗って、街の反対側にある学校に通ってる。こう言っちゃ何だけど、ムスリムとかバングラ系の家族は子供の数が多いでしょう。外国人の子供が増えたせいで、英国人の子供が学校に入れなくなるなんて、おかしい」

と言うKは、わたしと同様、スペシャル・ニーズを持つ子供たちの担当チーム員だ。現在はガーナから来た自閉症児を一対一で見ている。

「それから、これはファクトとして、生活保護を受けている移民も多い。よその国の福祉システムにぶら下がって生きてるぐらいなら、自分の国に帰るべきじゃないの？」

Kが面倒を見ている自閉症児の母親も、そういえば、生活保護を受けているシングルマザーだった。と思う。

「だいたい、政府が食わせてくれると聞いて英国に来る外国人も多いらしいし。英国は、とんでもないお人好しの国だ。趣味でチャリティやれる金持ちならいいけど、最低保証賃金で働いている私たちのような人間には、働かない外国人まで税金で養ってる余裕なんかないでしょ」

と彼女が言う頃には、英国人チームも外国人チームも一様にしーんとなっていた。

「……私たちみんなの中にそういう部分はあるんだよ。Get real!」

とKは言って口をつぐんだ。

その後をうまくまとめるのは、経験豊富に見える講師にも大変そうだったが、どうにかワークショップは幕を閉じ、研修が終わった頃には八時過ぎになっていた。

ロッカールームに忘れ物をしていたので戻ると、Kがいた。夜遅くなったので、みんな制服のまま帰ったが、彼女は服を着替えている。

「遊びに行くの？」

と声をかけると、彼女は言った。

「ああいう、マジョリティー目線でのリベラル講座には超むかつく。これから飲みに行く」

「ははは。モッズの姿を借りたナショナル・フロントかと思ったよ」

「いや、意外とね、マジ右翼の連中のほうが、日常的にはマイノリティーに優しかったりして。ふわふわした野郎どもが一番始末に終えない」

「うん。近所にBNP（英国国民党）のブライトン支部長が住んでるけど、わたしと息子にやけに親切だもん。元スキンヘッズみたい。いまは単なる禿げたおっさんだけど」

「元スキンヘッズは、同性愛者にもわりと優しいよ」

と彼女が言ったので、へ？　これってカミングアウト？　と思いながら、わたしは黙って自分のロッカーから荷物を出した。

「スキンヘッズっていえば、『This Is England』のサントラ持ってる？」と彼女が言うので「うん」とわたしは言った。「貸して」と言うので、「いいよ」と言うとKは言う。

「私は生まれて来る時代を間違ったと思う」

そんなことを若い頃に言ってた友人が、日本にもいたな。と思いながら、わたしは老眼鏡を外してケースに入れた。

結局、音楽を聴いたりするのは、今も昔も、こういう類の違和感を持つ若者なのかもしれない。

鏡に向かって髪を直していたKは、めちゃくちゃハンサムなモッズ・ボーイになって職場から出て行った。彼女のロッカーの扉には、「KEEP CALM AND DRINK」と記されたステッカーが貼られている。

（初出：web ele-king Mar 19, 2013）

ヘイトフル

ロンドンのウーリッチで英軍兵士が惨殺された。

犯人の青年ふたりは、イスラム過激派の影響を受けたとされており、白昼の道端で肉切り包丁を使って英軍兵士を惨殺し、首を切り落としたらしい。犯行後、夥しい血がアスファルトを真っ赤に染めた路上で、彼らは「これを目撃しなければならなかった女性の皆さんには申し訳ない。しかし、我々の祖国では、女性もそうしなければならないのだ」と言ったそうだ。

「でも、祖国って、何処のこと言ってるんだろうね。この子たち、ロンドン生まれの、ナイジェリア移民の子供でしょ。犯行後の原理派説教にしても、ベタベタのロンドン訛りだったって言うじゃない」

と、イラン人の友人は言った。

「別に特定の原理派グループに入ってたわけじゃないみたいだね」

「インターネットで洗脳されたのよ。サイバー・ムスリムの方が今は危険だって、うちの旦那が言ってた」

「サイバー・ムスリムって、いったい何やってんの」

「情報や説教を掲載しているサイトの掲示板で語り合ったり、Twitterで意見を交換したりしてるみたい」

「で、誘い合ってモスクに行ったりとか？」

「いや、モスクには行ってないでしょ。ああいう層は」

「そうなの？」

「この国のムスリム・コミュニティは閉鎖的だから。モスクは、親子代々ムスリムの家族が集うところだよ。いきなり改宗した若い男性がひとりで来るようになったら、テロリストなんじゃないかと思って、逆に警戒されるわよ」

「ふうん」

「ああいう層の活動拠点は、モスクじゃなくて、ネットと街頭なのよ」

「……」

というような会話を早朝のマクドナルドで朝飯を食いながら行い、職場に向かうバスの中で読んだ新聞は、極右グループのEDL（イングランド防衛同盟）が、ウーリッチの兵士惨殺事件を受け、首相官邸付近で抗議活動を行っていると伝えていた。アンチ・ムスリムをイデオロギーの柱としているEDLは、元は数百人のフーリガン組織だったのに、ネットで会員数を十万人規模に拡大したそうで、まあこう言ってはなんだが、彼らもその言語的意味から言えば、ネトウヨ。である。日本のネトウヨと違うのは、彼らのサイトが大変に入念に作られていて、しかも、BBCやITVのフットボール・サイトに良く似ているという点だろうか。それと、やはりフーリガン系組織なので、抗議デモの写真など見ても、上半身裸の人が多く、その肉体はタトゥーだらけ。みたいなヴァイオレントなイメージが強い。

彼らが英国のネトウヨならば、前述のネットで情報を交換するムスリム改宗青年たちは、ネトムス。だろうか。そう言えば、EDLがウーリッチ兵士惨殺事件の抗議活動を行っていた時に、カウンターをかけていた左翼グループのUnite Against Fascism や Love Music Hate Racism などもネットを媒体として広がった組織のようなので、ネトサヨと呼べるかもしれない。

ネトウヨとネトムスに関しては、実際に関与している人を知らないので何とも言えないが、ネトサヨに関しては、底辺生活者サポート施設でのボランティア活動を通して、その関係者と触れ合う機会があった。無職者やホームレス、低額所得の生活保護受給者、といった人びとが、なぜにネットにアクセスできるのかというと、それは底辺生活者サポート施設のような英国の慈善施設は、「貧者にもインターネットへのアクセスを」というのを運営の最重要課題のひとつにしており、どこも必ず充実したPC部屋（またはエリア）を提供している。

で、底辺生活者サポート施設では、PC部屋はアナーコ関係の方々の溜り場になっていたのであり、自宅にコンピュータやネット環境のない人びと（スクワットしているとか、シェルターで暮らしているとか）が、ネットでアナーコ関連情報（アナーコ・ヴィーガニズムとかアナーコ・フェミニズムとか）を入手したり、発信したりしていた。

ローテクでオーガニックなイメージが強いアナーコ系の方々だが、近年は、やはりネットが活動の大切なツールとなっているそうで、そこから運動に入ってくる人が多いと言う。こうしたネット・アナーコ系の方々は、ネトアナとでも呼ぶべきだろうか。

そう考えると、ネトウヨやらネトムスやらネトサヨやらネトアナやら、なんだかもう英国社会はたいへんなことになっているのであるが、今年の初夏は、ウーリッチの事件にしろ、EDLの台頭にしろ、各陣営の方々が街に繰り出し、いろんな形でヘイトをぶちまけておられるのが気になる。そういえば、日本でも新大久保のデモが話題になっているようだし、これは世界共通のトレンドなのだろうか。

などと思索しながら、ところ変わって、わたしはロンドン行きの電車の中に座っていた。単身で窓際に座り、新聞を広げていると、前方の四人掛けの席に外国人の若者たちが座っていた。英語学校か、大学の留学生たちのグループといった感じで、国際色豊かなアクセントの英語で会話していた。

小柄でかわいらしい顔立ちの東洋人のお嬢さんがひとり混じっている。日本人だろうか。と思って見ていると、グループは各人が好きな食べ物について話しているようだった。

「僕はスシが好きだよ。あれって、君の国の食べ物だよね」と、イタリアンっぽい訛りの英語の青年が言った。

「とんでもない！　私はコリアンよ」

「あれ？　スシってコリアの食べ物じゃなかった？」

「違う！　あれはジャパニーズよ。一緒にしないでちょうだい。断じてコリアンじゃない！」

「そんなにムキになんなくても」

「私、ジャパニーズが大嫌いなのよ。間違われるとムカつく」

おお。と、彼らの背後の席でわたしは老眼鏡を押し上げていた。日韓の国民の一部が互いに反感を持っている。というようなストーリーは、それこそネットではよく読むが、現実として明確に英国で耳にしたのは、初めてのことだったからだ。しかも、このお嬢さんなんか、まだ若い。おそらく二十歳そこそこである。

「なんでそんなにジャパニーズが嫌いなの？」

　イタリア人とおぼしき青年が尋ねた。

「私の両親も祖父母も、みんなジャパニーズが嫌いだし、嫌ってる人が多いの」

「ふーん。でもそれ、理由になってなくない？」

「うん。人が嫌っているから自分も嫌いになるっていうのは、正当な理由じゃないだろ」

　脇から、なんかゴリゴリ硬い感じのアクセントで、ジャーマンっぽい青年が言った。

「そうよ。何かを大嫌いだと主張するからには、どういうところが嫌いなのか明確にすべきだし、その部分がどうして嫌いなのかという個人的なロジックがあって然るべきだわ」と、首の周りにスカーフをぐるぐる巻いたフレンチ訛りの女の子が言った。

　理屈至上主義のヨーロピアンズに包囲されたコリアン女子は、しどろもどろになっている。

「……わからない。よくわからないけど、なんとなく、嫌いなの」と、彼女は俯きがちに言った。

　ああ。でもこういうところは、お嬢さん、あなたはあなたの嫌いな日本人に良く似ておられますよ。と思いながら、わたしは新聞に目を落とした。我々は、ロジックでゴリ押しされるとぐらぐらになる。

「じゃあ、あなたは何かに対して、大嫌い、なんて強い感情を抱いているわけではないということよ。だって、わからないのに大嫌い、なんて、そんな曖昧なことはあり得ない」

フレンチ女子がコリアン女子に言い放った。

こっそり彼らの背後で耳を澄ませている東洋人のおばはんは、実は、欧州ロジック部隊より、コリアン女子の言い分の方にリアルなものを感じていた。理論派ヨーロピアンズは、ヒューマン・ビーイングというものはもっと高尚で理知的な生き物であると考えたいのかもしれないが、嫌い。とか、ヘイトレッド。とかいう感情は、たいへんに下賤でバカなものである。その感情が理論づけてきちんと説明できる類のものなら、ヒューマン・ビーイングはとっくの昔にそれを乗り越えていたはずだ。

留学生の一行はガトウィックで電車を降りていったので、本腰を入れて新聞を読むことにすると、いかにも〝アンダークラス・シック〟な母親の写真と、顔がモザイクで消された四人の子供たちの写真が一面掲載されていた。

「自らの子供にレイシスト発言をした母親に反社会的行動禁止令」という見出し。有色人種との間に四人の子供を産んだ三十一歳の英国人の母親が、自宅で自分の子供を叱るときに、「ファッキン・ブラック」、「ユー・ブラック・カント」などのヘイト発言を連発しているために、非常に不快に思った隣家の住人が警察に通報し、くだんの母親に裁判所から反社会行動禁止令が降りたという。

おお。と、東洋人のおばはんは再び老眼鏡を押し上げる。ついに、母が子にヘイト発言を浴びせて警察に通報される時代がやってきたのか。まったくもって、こうなるともう、右も左もヘイトだらけじゃござんせんか。と鶴田浩二のようなことを思いながら、わたしは窓の外に目を移す。

ここのところ雨ばかり降っているので草原が濃厚に緑色だ。牧歌的な田園風景がどこまでも続いているが、一皮剝けばこの国はヘイト社会だ。

（単行本時の書き下ろし）

死ね。という言葉

過日、ブログを読んでおられる方から、

「この映像、見てください」

という簡潔なメールをいただき、リンクに飛んでいってみると、日本のデモの様子だった。

ナショナルフロントのデモを思い出すような、すずなりの日章旗。を掲げた人びとが、ぞろぞろと行進している。舗道側から撮影されたその映像は、ゆっくりと、向こう側の舗道に立っている人びとの姿を映している。中指を突き立てて「Fuck off」ポーズを決めている人びと。日章旗集団に向かって罵声を浴びせている人。「仲良くしましょう」と書かれたプラカードを持って立っている人。大むかし、わたしが日本に住んでいた頃、知っていた人の顔を見たような気がするのは気のせいか。

「ちょっとこれ、見て、見て」と、居間でだべっていた連合いと隣家の息子を呼んで、映像を見せる。

「何これ」

「日本のウヨクのデモ。コリアンの人びとが多く住んでいる街で、ナショナル・フラッグ掲げて『Go Home !』ってやってんの。で、舗道の人たちは、それに反対する人」

「ははは。よくできたコメディ・スケッチ」

連合いは、笑った。

「いや、コメディじゃないよ。マジ。これ本当に起きてんの、今、日本で」

「うっそー」

「いや、本当なんだって。ほら、これ本物の警官隊だし」と、リアルな映像であることを納得させるのに五分ぐらいかかったが、彼らには、日本のウヨクのデモの映像が、どうしてもコメディ・スケッチにしか見えないらしい。

「どうしてこれがコメディだと思うの？」と訊いてみると、連合いは言う。

「だって、デモ隊と反対派がこれだけのプロクシミティでせめぎ合っているのに、乱闘になってない」

隣家の息子と、六歳のうちの息子まで、「うんうん」と頷いている。

「そら、警察がいるからでしょ」

「いや、警察出てるから、よけい興奮するんだろ。こっちだったら三つ巴の流血戦になる」

……そりゃそうだろうなあ。

と納得する。IKEAの大型店舗オープンで家具が半額になるっつうんで集結した人びとが商品を取り合って暴動を起こした一件や、政府の政策に反対するデモなのに銀行に忍び込んでキャッシュマシーンを破壊する人びとが続出したケースなど、こっちは人が集まるとライオットになりがちなお国柄である。まあ、たしかにそれはそうだろう。


といった按配で、うちの連合いや隣家の息子は、

「いやー、ピースフルで日本人らしいデモ風景。えらい」

と評したデモの様子であったが、

「いや、フィジカルには平和的だけど、口汚いことを叫んでいるよ」

「どんな?」と言われたときに、ちょっと困惑した。

「Go back home!（帰れ）」、「Get out of our country!（俺らの国から出て行け）」というのは、すぐに出てくる。まあ、これは万国共通の外国人排斥用語というか、ぶっちゃけた話、わたしもこの国でガラの悪い方々に往来で言われたことのある言葉だからである。

しかし。「死ね」という言葉で、はたと困った。「Die!」という直訳では、「はあ?」な感じになると思ったからだ。喧嘩、侮蔑、罵倒などの現実の場面、映像シーン、本のセリフなど、ざっと思い返してみても、英国人が「Die!」とシンプルな一語を言い放っているのを聞いたことがない。

「『I'll kill you』。いや、それは違う。『Kill yourself』。うーん、違う。何だろう……」と、まごついていると、

「何困ってんの」と隣家の息子が言うので、

「いや、『Die!』とか、言わないよね、英語で。人を罵倒するときに」

と言うと、連合いと隣家の息子は言った。

「アメリカンは言うかもしれんなあ。でも、こっちでは言わんなあ。『Die!』っていうのは、たしかに」

「うん。アメリカンならあるかもね。マイケル・マドセンか誰かがさ、血まみれで倒れて彼を見上げている男に銃を向けて、『Die bastard!』か何か言って引き金引くとかさ、タランティーノの映画か何かでありそう」

と、隣家の息子がやけに細かなシチュエーションまで想定して言う。

「でも、それは、相手はもう死にそう、というシチュエーションがあるわけじゃん。

ぴんぴんして生きてる相手に向かって、『Die!』ってシングル・ワードで罵倒するのは、イングリッシュ英語として、ないよね」

「うん、俺たちは、やっぱ、もうちょっとその言葉の周囲に何か付けるな」

「要するに、『I hope you are dead』ってことなんだろ。俺はお前らがみんな死んでここにいなかったらいいと思う。ってことなんじゃないの？　言ってる奴が、一応レイシストなら」

「じゃ、そういう言葉を、この国のレイシストは使うもんなの？」

「いや、『I'll kill you』とか『Go, kill yourself』とかじゃ脅迫になるし、『I hope you are dead』じゃ、なんか弱いだろう。レイシストのスローガンとしては」

「ははは。Hope じゃね。『I wish you were dead』とか？　はははは。Hope や Wish じゃ、なんかディズニーのドリーム・ランドみたいになっちゃう」

と、ゲラゲラ笑いながら「When You Wish Upon A Star（星に願いを）」を歌い出した彼らを見ていると、「死ね」という日本語にすれば破壊力ある言葉も、英語に変換する上で分析すれば、わりと曖昧な言葉なのかと思えてくる。

いったいメディアはこの言葉をどう訳しているんだろう。と思って、調べてみると、『Japan Today』は「We'll kil you」に訳していた。CNNの『iReport』は、敢えてそうしたのか、「死ね」を文章中に登場させていない。朝日新聞の英語版では「Kill them」になっていたが、これは実際に「殺せ」と日本語で言っていた人もいたからしい。しかし、あの「死ね」は、「We'll kill you」（殺すぞ）とかいった能動的な言葉とは違う気がする。それに、「殺せ」に至っては、漠然と他人に殺すことを命じているだけで、自分がどうしたいのかは言ってない。なんか、そんなにヘイトしているわりには何処か薄ぼんやりとしていて、「誰が殺すのか」という主体が不在なのである。

死ね。

という日本語を、わたしも何度となく浴びせられたことがある。しかしそれは日本の往来ではなく、ネット上のことだ。ヤフコメ。と呼ぶらしいのだが、わたしが書いたゴシップ記事に関するコメントの中に、時折、「死ね」みたいな荒々しい批判があり、その前後には、だいたい韓国がどうしたとかいう漢字多用の長文がついているのだが、そもそもゴシップ記事というのは、ハリウッドの某という女優が立派な巨乳の持ち主である、とか、西洋の著名人の誰と誰がセックスしているようだ、といった記事であるにも拘わらず、なぜか韓国人への反感や外交に対する不満がコメントについて来るというのはいかにもシュールであり、思い当たる節があるとすれば、震災後に多額の寄付金を日本に恵んでくださったので愛国者の間で神として崇められているという米人歌手のことを、わたしがゴシップ記事の中で神として描いていない、ということや、「バッキンガム宮殿の前で『がんばれ日本』を訴えるな、見苦しい」という主旨の文章をブログに書いたことがあったからか。とも思うが、それはわたしの想像であり、実際にはそれを書いた人は、噛み付く相手や記事は何でも良かったのかもしれない。

死ね。

という言葉は、そういえば、そのずっと前からメールでも来ていた。

が、あの頃は、死ね。ではなくて、氏ね。だったように思う。で、最初は、何なのだこの薄気味悪い言葉は。と思ったのでネットに詳しい人に聞いたところ、掲示板などで「死ね」という言葉が禁止されている場合に使用するネット用語だと教えられた。

どうも、あのデモで発されている「シネ」も、「We'll kill you」ではなく、「氏ね」のように思える。そりゃ英語になりにくい筈である。「氏ね」即ち「ミスターね」、直訳すれば「Mr, isn't it ?」では、もうさっぱりわけがわからない。

「We'll kill you」では、殺そうとする人間たちに、人命を奪うという刑事的そして人道的責任が降りかかる。英語圏では、これに加え、「罪と罰」的な重苦しい宗教的責任も降りかかってくるだろう。

が、当然ながら「氏ね」には、そうしたヘヴィな問題や覚悟といったものは一切含まれていない。「シネー」、「シネー」は、ふわふわと実体なく青空に浮かぶ風船のようだ。ということは、やはりあの「死ね」は、「I hope you are dead」や「I wish you were dead」に一番近いのかもしれない。というのも、風船はディズニー・ワールドに似合うからだ。が、いくら色とりどりの風船に書かれた「I hope you are dead」でも、そんなものをふわふわさせたら英国では警察に捕まる。

この国でその方面の法が確立されているのは、「人として」とか「恥ずかしい」みたいなセンチメンタルなことではない。そうではなく、レイシズムやヘイトスピーチによって、実際に人が刺されたり、死んだりしてきた歴史があるからだ。

ディズニー・ソングだってあまり執拗に繰り返されれば、ミッキー・マウスの頭をかち割りたくなる人が出てこないとは限らないし、ミッキー・マウス軍団の中に突然変異が現われ、「氏ね」から「I'll kill you」に転じる人が出て来る可能性もある。

実際に人が刺されたり、死んだりしてきた英国のレイシズムの歴史にしたって、今でも続いているのだ。ロンドン暴動の発端を思い出してみるといい。「シネー」、「シネー」の風船を軽視してはいけない。わたし個人は、我が祖国も、我が祖国のやり方で、遂にこのけもの道を歩きはじめたのだと思っている。

（単行本時の書き下ろし）

墓に唾をかけるな

その日、わたしは街の裏通りにある小さなパブで、仕事帰りに人と会う約束をしていた。

そこは薄暗く古いパブで、流行のワインなどを飲ませる小奇麗なパブではない。窓際には年季の入ったスヌーカー・テーブルがあり、カウンター上方のフラット・スクリーンではない分厚いテレビはいつもフットボールの試合を映している。が、その日、パブに着いてみれば、なぜかテレビはＢＢＣニュースを映していた。

「え。サッチャー、死んだの？」

と吃驚しているわたしの背後から入って来た、塗装業者らしいペンキで汚れたバギー・ジーンズのおっさんは、テレビに映し出された「Baroness Thatcher Died」のヘッドラインを読むなり、おもむろに両手でガッツ・ポーズを取った。

「ＹＥＳ‼」

ＰＣの前に座って仕事をしている階級の人びとはもっと早く訃報を知ったのだろうが、ブルーカラーの労働者が彼女の死を知ったのは夕方だったのである。んなわけで、パブのなかはいつになくざわついていた。アフター・ファイヴの熱気に盛り上がる若人たちが集うパブとは異なり、通常は、陰気な顔をした中高年労働者がむっつり飲んでいるタイプのパブなのだが、その日ばかりはムードが違っていた。

ＢＢＣニュース24は、各界著名人の反応を報道している。「元労働党のＭＰ、ジョージ・ギャロウェイは、ツイッターにエルヴィス・コステロの曲『Tramp the Dirt Down』のタイトルを書いています」と女性ブロードキャスターが告げると、誰かがパブの奥から叫んだ。

「Well said, George！」

パチ、パチ、パチ。と誰かが叩いた拍手の音が、じわじわ店内に広がって、いつの間にかおっさんもおばはんも全員が手を叩いていた。

笑っている人は誰もいなかった。みんな疲れきった顔をしていた。

ああ。きっとこれは、この国の労働者がサッチャーを送る音なのだ。と思った。

その日の深夜、ダンプの運ちゃんをしている連合いは、ロンドンのブリクストンを通ったらしい。

「ロンドン暴動の直前と似たような雰囲気があった。夜中に路上で飲んで喚いてパーティしてやがんだよ。お前ら、サッチャーなんて知らねえだろ。っていうようなガキどもが」

と言っていた。

翌日の新聞を読むと、アンダークラス人口の多さで知られているリヴァプールでは、路上で火を燃やして祝賀するフディーズたちの写真が撮影され、ブリストルでは、ミドルクラスのスタイリッシュなインテリゲンチャたちが警官隊と衝突している写真が撮影されていた。「各地の〝ザ・レフト〟がバロネス・サッチャーの死を祝賀した夜」という見出しが付いている。嬉しそうに中指を突き立てて小鼻をふくらませているティーンズや、ビール缶を片手に泥酔しきった目つきで警官に悪態をついている三十代のミドルクラスのお坊ちゃまたち。

現代の英国の〝ザ・レフト〟というのは、こういう人たちなのだろうかと思った。

毎日クソのような時給で朝から晩まで働き、サラリーではなく、ウェイジと呼ばれる週払いの賃金を貰い、そのクソのような賃金からでさえ税金を巻き上げられ、サッチャー政権に騙されて公営住宅を買ったら自宅のメンテ費用が払えなくなり、真冬に暖房が崩れて凍死した者もいたという、本当に故人がしたことを知っている〝労働者たちの層〟は、それらの写真のなかで浮かれたり、激昂してみせたり、泥酔したりはしていなかった。

　本当に彼女に苦しめられた人や、いまでも苦しんでいる人たちは、おそらく朝早く起きて仕事に行くため、とっくに寝ていた。


　サッチャーが亡くなった日、わたしがパブで会っていたのは、一昨年まで成人向け算数教室で講師をしていたRだった。

　先の労働党政権は、読み書きのできない成人の再教育に力を入れていたので、無料で算数と英語の再教育の場を提供していた。が、現保守党政権はこれらのプロジェクトへの補助金をカットした。あの党は、いつだって底辺層の底上げには興味がない。

　政府からの支援が無くなったので成人向けの算数教室と英語教室は有料になり、当然のごとく生徒数は激減し、これらの教室を運営している団体数も激減した。そのため、Rは食って行けなくなり、現在は大学に勤務しているが、自腹でコミュニティセンターの一室を借り、無料の成人向け算数教室を再開するつもりだという。

「サッチャーが死んだからと言って、何が変わるわけでもない」

と、醒めた顔つきでテレビを見ていたRは、昔ヴォランティアでアシスタント教員をしていたメンツに連絡を取り、再びヴォランティアをやらないか。と説得して回っている。

かくいうわたしも、算数の得意な日本人としてアシスタントをしていた時期があるのだが、「いや、いまは昼も夜も働いて、その間に主婦業もやってるから、無理」と一度断ったのに、Rは執拗に攻めてくる。アンダークラスのシングルマザーもけっこう教室にはやって来るので、保育士のわたしは託児サービスが提供できる点で便利なのである。

「金がないとか、子供がいるとか言って教室に来ない人びとが、もっとも再教育が必要な人びとなんだ。ってのはわかってるよね」

「わかってる。けど、時間がない。夕方にそんなことやってたら、誰がわたしの子供のご飯つくんの」

「一緒に連れて来たら」

「ええっ⁉」

「フィッシュ&チップスおごるよ、毎週。教室の隅で食べさせたら？　で、スペアのラップトップ持ってくるから、ゲームさせたり、宿題させたりしたらいい。算数はもちろん僕が見るし。子供に九九覚えさせるの得意」

「えええっ⁉」

と、だんだんコーナーに押しやられてジャブを連打されているわたしの虚ろな目に、テレビの画面の中でサッチャーの偉大さ、崇高さを語り倒しているデイヴィッド・キャメロンの顔が見えた。

彼は、紛れもなくサッチャーの末裔である。

イートン校からオックスフォードという超エリートお坊ちゃまの道を辿りながら、いっつも目立たないギーク青年で、ザ・スミスを偏愛していたというキャメロンは、いったい彼らの曲から何を聴いていたのか、モリッシーがギロチンにかけたがっていたマーガレットの政策を模倣している。サッチャーの政策を発端として発生し、二十一世紀には英国の癌と呼ばれるほど拡大した、いわば「真のサッチャーのレガシー」と言っても良いアンダークラスという階級を、彼の政府は冷酷に切り捨てようとしている。母親が残したMESSをきれいにするどころか、鉄の女の息子たちは、そのMESSをさらに広げようとしているのだ。

「わかった。やる」

「Thanks. I knew you would say that」

と言われたときには、罠にはまった。という気もしたが、サッチャーが死んだ日である。彼のような人の頼みを、こんな日に断るわけにはいかない。

「生きているときの彼女は、俺の敵だった。だが、死んだ彼女は俺の敵ではない。俺は彼女の墓の上で踊る気はない」

というジョン・ライドンの発言は、現代の英国の所謂〝ザ・レフト〟の人びとには評判が良くないようだ。それは、「悪い魔女は死んだ」と歓喜して踊るパーティ・ピープルの士気を盛り下げる言葉だからである。セックス・ピストルズのジョニー・ロットンは、ザ・スミスのモリッシーのようにべたべたに直球のアンチ・サッチャー声明を発表しなかったので、肩透かしだったそうだ。

しかし、わたしには、それがピストルズとザ・スミスというバンドの役者の違いだったように思える。

死人を相手に、勝ち誇ったような顔をしてパーティをしてどうする。誤魔化されるな。真の敵と戦え。

「そもそも、コステロのあの歌は、あの女が死んだら墓を踏みつけてパーティしてやる。という歌じゃないよね。彼女より俺たちは先に逝くだろうという、かなしい歌だ」

と、Rは言った。

彼のような人は、故人の墓には唾をかけない。そんな暇があったら、することは山ほどあるからだ。テーブルの上に広げられたスプレッドシートには、以前、算数教室に来ていた生徒とアシスタントの名前がずらりと並んでいる。

「これ、ひょっとして、全員に連絡取ってるの？」

「うん」

政治家たちはサッチャーの葬儀の件で揉め、〝ザ・レフト〟の人びとは、葬儀当日のプロテストの準備で盛り上がっている。

そしてRは、葬儀の日などまったく関係なく、スプレッドシートを広げて電話をかけ続けているだろう。

Rのような人のことは、新聞やニュースサイトには一行も書かれていない。だが、本気でサッチャーのレガシーの後始末をしようとしているのは、彼のような名もない末端の人々だ。

わたしにとってもっともブリティッシュなのは、彼のような人びとである。


（初出：web ele-king Apr 15, 2013）

ストリートが汚れっちまった悲しみに

最近、ブライトンの街がやけに汚い。

なんでそんなに汚いのかというと、地方自治体のゴミ回収およびリサイクル回収のスタッフがストライキを決行しておられ、ゴミが街中に溢れているからだ。で、街頭設置のゴミ箱が溢れ、中身が外に漏れ出しているにも拘わらず、「臭いゴミ袋を家の中に置いとくよりはまし」ってんで人びとがさらなるゴミを舗道に放置して行くものだから、野良猫や野良犬、カモメなどがビニール袋を食い破って中身を路上にぶちまけ、舗道全体にキャベツの芯とか卵の殻とか新聞紙とかトイレットペーパーの芯とか、ありとあらゆるゴミが転がっており、それを貪り食っては排泄する獣の糞まであちこちにべっとりと落ちている。

いやー、最後にこんな英国の街を見たのは、一九八九年のロンドンだっただろうか。トテナム・コートロードとか、キルバーンとか、ジョン・ライドンの出身地として有名なフィンズベリー・パーク界隈も尋常でない散らかりようだったのを記憶している。

「最近、ロンドンに行ったけど、不況なんて感じさせないほどUKはクールでモダン」

みたいなことを日本の某ライターの方が書いておられたが、一歩地方まで足を伸ばしていただければ、この窮状はあからさまである。まるで街全体が巨大なゴミ箱と化したようだ。

商店街の店は何軒も潰れてガラスが打ち割られ、ホームレスの方々が路上に座り込んでビール瓶片手に涎を垂れながら空を仰いでおられる。

臭い。汚い。暗い。しかも、今年の夏はどんよりと寒い。

いったい世のなかは、二〇一三年で終わるのだろうか。

サッチャーが死んだ日に、意気揚々と無料の成人向け算数教室をスタートさせようとしていたRの計画が、暗礁に乗り上げている。

講師およびヴォランティア人員は、いつでも開始オッケーの状態でスタンバっているのに、生徒が集まらないというのだ。例えタダでも彼らが来たくないという理由のひとつには、保守党の政策によって失業保険や生活保護を打ち切られた元生徒たちが、どんづまりの必要性から、読み書きや算数の知識がなくてもOKの最低保証賃金ワークに就労しているケースが多く、そういう人びとは、もはや学習の必要性など全く感じていないという。

また、生活保護を打ち切られて犯罪に手を染め、現在受刑中の生徒も複数いるというし、アルコール依存症になってシェルターで暮らすようになっていたり、行方不明になっている人もいるらしい。電話をしてもメールをしても、一向に捕まらない人びとがかなり存在し、それらの生徒たちについて、共通の知人やチャリティー施設のスタッフを通して良からぬ噂ばかり耳にする一方で、連絡が取れた元生徒たちも、「どうせクソみたいな金でクソみたいな仕事をするんだから、いまさらファッキン算数なんて面倒くさいことをやったところで、何が変わるわけでもない」みたいな、明日への展望が全く感じられないネガティヴな発言を返してくるという。

「遅すぎたんだろうか。と思う」

Rは電話口でぼっそり呟いた。

「残業手当や皆勤手当が貰えなくなったら、マジで死活問題だ。どうして奴らは減給されたら生きて行けなくなる人間の給料ばかり減らすんだろう」

と、うちの息子の同級生の父親は言った。ポーランド人の彼は、ストライキを決行しているゴミ回収車乗務員であり、ブライトンの街の景観を荒ませている当事者の一人だ。が、彼の言うことはよくわかる。ストライキというのは、ふつう賃上げを要求してやるものであり、賃下げ反対などという崖っぷちでの抵抗がそう簡単に終結するわけがない。

「スーパーで、家族四人分の食料をウィークリー・ショッピングするだろ。三年前なら五〇ポンドで済んだのが、いまは同じものを買っても八〇ポンドする。これだけ物の値段が上がっているときに、給料を減らされたら、死ねと言われているようなもんだ」

と彼は言う。が、それがサッチャーの末裔どもの政治なのだ。

「俺は勝手にこの国に来た人間だから、ワーカーズ・ライトとか、そういう面倒なことはあんまり言いたくないし、汚れている街を見ると心も痛む。けど、こっちだって子供ふたり抱えて食ってかなきゃいけない。カウンシルの上の奴らは年収が上がってるのに、底辺労働者だけ年収が下がるってのは、おかしいだろ」

八〇年代なら英国人の炭鉱労働者が口にしていたような言葉を、現代ではポーランド人の移民労働者が言っている。そういえば、シェーン・メドウズが『Somers Town』という映画を撮ったことがあった。あの映画は、どこにも居場所がなくなった下層のイングリッシュの少年と、ポーリッシュの移民労働者の息子の友情を描いたストーリーだった。

ポーリッシュのゴミ回収作業員がふたりの子供を連れて校門から出て行く途中で、スキンヘッドの英国人男性とすれ違い、手と手でハイ・ファイヴを交わす。ああ、あのスキンヘッドのお父さんもゴミ回収の仕事をしておられた、と思い出した。このような窮地には、ストライキというアクションを通して、本国人も移民もない「労働者」というグループが生まれるのかもしれない。世のなかがひどくなるとレイシズムが高まる、という説は、そうとばかりも言えないようだ。

「保守党政権っていつまで続くの？」

最近、妙にやつれている隣家の息子が言った。こいつも失業保険を打ち切られ、やむなく社会復帰した人間のひとりである。

「あと二年」と連合いが答える。

「うっそー、そんなに長いの？」

「首相任期って四年だったけど、あいつら、いつの間にかそれを五年に変えてるし」

「俺、それまで生きれらるかどうか心配」

多感な年頃の時代からうちに出入りし、父親がいないせいかうちの連合いの影響を受けすぎている隣家の息子は、ダンプの免許を取得し、長距離ダンプの運ちゃんとして働き始めたが、そのシフトは明らかにEU法に違反する過酷なもので、就寝する時間もないほど運転しまくっているのに、稼ぎは限りなく最低保証賃金に近い。

「おめー、その会社、いくら何でもひどすぎ。ヒューマンライツはどうなってんの」

「だって、他になかったんだもん、仕事」

体重が四キロも落ち、めっきり老け込んできた隣家の息子を見ていると、労働党政権の時代に社会保障制度を濫用してふらふらして来たんだから自業自得。と言うことも可能だが、二〇一三年の英国にはこういう若者が無数に存在しているのだろうと思う。仕事があるだけでも有難いと思え。と言わんばかりに雇用主に利用され、経済ピラミッドの下敷きになり、政治に蹂躙されている若者たち。

「次は、労働党が政権取るよね」

「たぶん。そう思いたいけどな」

と連合いが歯切れの悪いことしか言えないのは、トニー・ブレアの時代に労働党が著しく保守党寄りの路線に変わったため（サッチャーなんかは、「私の最大の功績はトニー・ブレアを生み出したこと」と言ったし）、もはや労働党も保守党も大差ない。という「どっちもどっち」みたいな風潮があまりにも長く続いているからで、保守党が嫌われているからと言って、労働党が支持を集めているわけでもないからだ。

が、この「どっちもどっち」というのはあり得ない思想である。というのも、表面に出ているものが似ていたとしても、コアにある価値観が違う限り、「どっちもどっち」ということはないからだ。ソシオ・エコノミックな階級の真んなかあたりとか上部とかにおられる方にとっては、どっちが政権を握ろうが生活に大差ないかもしれないが、下層民の日常は、目に見えて、こんなにもはっきりと変わる。いつだって保守党政治の皺寄せは、金もなければ地位もなく、明日への希望も薄い人びとの層に来るからだ。

その皺寄せの方向性を許せるか、見て見ないふりをできるか、あるいは、そんなの全然知らないし、見たことも聞いたこともないわ。と言いきれるのでなければ、「どっちもどっち」というスタンスは取れるはずがない。「どっちも不支持」とか言ってニヒリスティックに首を振ってる〝リベラル寄りのインテリ〟は、みんな保守党を支持しているのだ。

もう世のなかは、中庸を志向してスタイリッシュに傍観すれば済む時代ではなくなっている。

路上の獣の糞やら卵の黄身やらを踏んでしまったスニーカーをじゃーじゃー洗いながら、わたしはそう実感するのである。

『NME』が新譜レヴューでトム・オデールの『Long Way Down』に〇点をつけた。トム・オデールの父親が激怒して『NME』に抗議したという記事をタブロイドの

『ザ・サン』紙なども書き、ちょっとした話題になっているが、今年のブリット・アワードでアルバム未発表にして批評家賞を受賞した大型新人のデビュー・アルバムを、『NME』はこう評した。

「昨年アホのように売れまくった催眠性のクソMORの焼き直し」

このアンガーに満ちたレヴューは、現在のUKのストリートのムードを反映している。

もはや、催眠術にかかってうっとりとまどろんでいる場合ではない。

（初出：web ele-king Jun 26, 2013）

ファーギー&ベッカムの時代

アレックス・ファーガソンの引退表明後一時間の間に、彼の名前の言及のあるツイートが約百四十万件投稿されたそうだ。マーガレット・サッチャー元英国首相が亡くなった時のツイート数は、死亡発表後四時間で約百万件だったというから、そのリアクションの大きさがわかるというものだろう。

サッチャーがイングリッシュネスを代表する人物だったとすれば、ファーギーはブリティッシュネスを代表する人物である。というのも、イングリッシュはイングランドの事象のみを表す名称だが、ブリティッシュはウェールズ、スコットランド、北アイルランドといった辺境地域を含む、より広範な言葉だからだ。ゆえに、スコティッシュであるファーギーは、ブリティッシュではあっても、イングリッシュではない。わたしなど、アレックス・ファーガソンといって最初に思い出すのは、W杯やユーロ杯など、イングランドがフットボール一色に盛り上がっている時に、彼がどれほど醒めていたかということである。一時など、イングランド代表はそのままマンチェスター・ユナイテッドじゃないのか。と思うほど多くの代表選手が所属していたクラブの監督でありながら、彼は、こうした大会がはじまるとさっさとホリデイに出かけたり、イングランド代表の試合の時間帯に競馬場へ行ったりしていて、BBCやSKYのスポーツ・キャスターがコメントを取ろうとしても、なかなか捕まらなかった。「スコットランド代表が出てないから、どうでもいい」などと余裕で言い放ったこともあり、テレビの前で大笑いさせられたものだった。

W杯でイングランドが勝ち進むと、スコットランドでは聖ジョージの旗を掲げた車が燃やされたりする物騒なお国柄である。ブリテンの辺境問題は、たいへんにセンシティヴな社会事象なのだ。だのに、ファーギーは、明らかにイングランド代表を応援していなかった。ファーギーは、「汝の隣人を愛せよ」とか「友だちになろう」とかいう理想主義者ではなく、あくまでもリアリストだったのである。

彼が引退を表明した日の晩、わたしはラジオを聴きながら仕事をしていた。ファーギー引退のニュースを受け、仕事を早退したというマンチェスターの男性からのメールをDJが読み上げていた。「僕は二十五歳です。生まれてからずっと、マンUの監督はファーギーでした。それ以外の時代を僕は知りません。これからどうなるのだろう、と思うと、とても不安になって職場で泣き崩れてしまい、上司から『今日は帰れ』と言われました」という。サッチャーが死んで踊った人はいても、こんなに動揺した人はいなかっただろう。

リヴァプールの名匠、ビル・シャンクリーは、「フットボールは、生きるか死ぬかの問題ではない。それ以上のものだ」と言った。コメディアンのラッセル・ブランドは、英紙『ガーディアン』に寄稿した記事の中で、「フットボールは、戦いと、逆境と、結束と、勝利のメタファーだ。その不定形で透明のテンプレートを通して我々はリアリティを理解する」と書き、「ウエストハムの一貫性と一貫性のなさ、パワーと無力さ、喜びと失望は、そのまま自分の小さな人生であった。自分の突飛な、常に揺れ動く物の見方や、落ち着きなく変わり続けている状況は、ウエストハムと自分の関係性に端を発するものだろう」と考察している。そう思えば、うちの連合いの「どうせ負ける」という諦念に満ちた人生への姿勢も、ウエストハムのサポーターとして育ったという事実に起因しているのかもしれない。

だとすれば、ファーギー時代しか知らないマンチェスターの青年が不安になるのも無理からぬ話だ。それは、父なるゴッドを失ったような衝撃だろう。キリスト教というのは、「父と息子と精霊」を信じるセクシストも甚だしい宗教だが、「日本には母なる神しか根付かない」という遠藤周作の言葉とは対照的に、欧州人は父なる神を求める。

若くてカリスマティックな首相役を演じてみたら上手にできちゃった、みたいな元ロック歌手志望のトニー・ブレアとか、その不出来な小型ヴァージョンみたいなデイヴィッド・キャメロンとか、政治的指導者がふわふわ調子のいいことばかり言っている時に、ファーギーは怒れる神の如くにピッチで吠えていた。ベッカムの顔にシューズを投げつけ、PCもへったくれもない発言をし、何より重要なことに、勝ち続けた。サッチャーが出来の良い子供ばかり可愛がり、出来の悪い子供は見捨てる非情な母親だったとすれば、ファーギーはちゃぶ台をひっくり返しながら家庭をサクセスに導く父親だった。魔女のような母は死に、ゴッドのような父は去った。この国は、ペアレンツを同時期に失ったのである。

などと考えていると、デイヴィッド・ベッカムまで現役を引退してしまった。

彼は、ゴッドのような父親（＝ファーギー）とソリが合わなかったちゃらちゃらした息子。みたいな脈略で語られることが多いが、それは表層的なことで、根底にあるものとは違うかもしれない。質実剛健のファーギーと、メトロセクシャルのベッカムは、正反対のようでいて、実は、同じ価値観を代表する人びとだったからだ。

パンク時代の『ＮＭＥ』を代表する女性ライターだったジュリー・バーチル（一九七七年にセックス・ピストルズの『Never Mind The Bollocks』の新譜レヴューを書いた人である。「ジョニー・ロットンは新世代のオリヴァー・ツイスト」という文句はこの人のものだ）は、ベッカム夫妻がセレブリティー・バカップルとしてメディアに茶化されていた今世紀初頭、ベッカム擁護の本を書いたことがある。その中で彼女はフットボーラーのポップスター化は何も新しい現象ではないと指摘し、アルコール依存症になるほど飲みまくったジョージ・ベストや、酒とギャンブルと女に明け暮れたスタン・ボウルズなど、伝統的な英国のセレブ選手と比べると、ベッカムの場合は、クリーンで素面の良き家庭人である点で異色だ。と書き、ベッカムの価値観は、古き良き労働者階級のそれを反映していると論じた。

「この国には、アンダークラスではない、ワーキングクラスが存在した時代があった。それは、ティーンのシングルマザーや、掃き溜めのような公営団地とは無関係の階級だった。実際のところ、金に汚くて性にオープンなミドルクラスや、怠け者で誰とでも寝るアッパークラスの人間より、ワーキングクラスの人びとの価値観のほうが〝トラディショナル〟な英国の価値基準に近かった。気前の良さと勤勉さ、そして高潔さ。それが彼らの模範だった」とバーチルは書く。そして、労働者階級のモラルの崩壊を招いたのは、自国の製造業を破壊し、失業者を増加させたサッチャー政権だったとし、一九六九年にロンドン東部で結婚したベッカムの両親は、プレ・サッチャー時代の労働者階級の価値観を持っていたという。子供時代のベッカムには、喋ると素っ頓狂な高い声になる癖（たしかに、若き日のベッカムはラリったシド・ヴィシャスみたいな声だった）があったため、無口でおとなしい少年だったそうだが、彼はサッチャーズ・チルドレンと呼ばれる同世代の快楽主義にも染まらず、ひたすらフットボールに打ち込んだ。その禁欲的姿勢と野心は、たしかに現代の英国の下層にはないものだろう。

ベッカムが幼少期を過ごした家は、うちの連合いが生まれ育った地域にある。現在は、エキゾチック・フードの匂いが漂い、道を歩いていてもほとんど英国人とすれ違うことのないエリアだ。あの辺りの七〇年代の写真を見たことがあるが、それはまるでマイク・リーの『ヴェラ・ドレイク』のような世界だった。隣接するレンガ造りの家々の庭にびっしりと干された洗濯物。けっして新品ではないが清潔なシャツとセーターを身につけ、半ズボンを穿いた子どもたちと、道端で立ち話をしているエプロン姿のお母さんたち。そこにはきっとコミュニティがあっただろう。貧しくとも佇まいを正して生きる、労働者階級のプライドがあっただろう。

それは、ゴムの伸びきったジャージのズボンから下着をのぞかせた女たちが乳母車を押しながら煙草を吹かし、フディーズたちが路上駐車された車のガラスを打ち割るたびに、けたたましいアラームが始終響き渡っているような貧民街の風景がノームになる前の、労働者たちの街だった。あの街に住む人びとは、労働することの価値と、明日を今日より良い日にすることとの価値を信じた。最低保証賃金で働くより生活保護もらった方が人生エンジョイできるよねー。と言っているわりには、酒とドラッグとセックスに溺れるだけの閉塞した生活で三十歳なのに五十歳みたいな顔になった長期無職者たちが現われる前の時代の話である。

ファーギーとベッカムは、マイク・リーやケン・ローチといった映画監督が描いた労働者階級の世界が、シェーン・メドウズが描くアンダークラスの世界に移り変わる過渡期の時代に、フットボールを通して旧労働者階級の価値観を体現した人びとだった。彼らは、サッチャーが殺すと決めたものがゆっくり時間をかけて死んでいく時代の、最後のワーキングクラス・アイコンだったのである。

しかし、それももう過去の話になった。そして新下層民となったアンダークラスの人びとは、保守党政権に生活保護を打ち切られて仕方なく社会復帰を果たし、労働の価値も、今日より明日を良い日にするなどというコンセプトすら知らない、被害者意識の強いニュー・ワーキングクラスを形成しつつある。

（初出『ele-king vol. 10』）

ロイヤル・ベビーとハックニー・ベビー

英王室のケイト（キャサリン妃）が出産したとき、わたしはイビサ島にいた。日本にゴシップを書き送っている身としては、もっとも英国からの記事が必要とされる時期だったのだが、んなものは不在だったのだから仕方ない。ビーチで酒を飲みながら「へー。産んだの」ってな具合だった。ダイアナが亡くなったときもわたしは日本に帰省していたので、「肝心なときにUKにいない」とジョークのネタにされることもあるが、そんなことはない。ロンドン暴動が起きたときはUKにいた。それで充分である。

「王子の名前、ジョージですって」

「何を舞い上がってんだ。いつからモナキスト（君主制主義者）になった」

「昔はどうでも良かったんだけど、海外暮らしが長くなると、王室が祖国の象徴のように思えるっていうか」

「ふん。同じ日に、ハックニーの病院で公営団地に住むシングルマザーの子供も生まれてるんだよ」

連合いとイビサ在住の彼の姉は、島の内陸部にある彼女の家で口論していた。

「そんなこと言い出したらキリがないでしょ。いい年をして」

「年は関係ねえだろ。俺は今でもそう思っている」

「王室は、英国に観光客を呼ぶ最大のPRでもあるわけだし。あんたたち、恩恵にも預かっているわよ」

「あんなものを見て来る奴らは、別に来なくていい」

ふたりの会話を聞きながら、六〇年代後半は思想&ファッションともにヒッピー一直線で、その流れでロンドンからイビサに移住したという義姉が、モダン・モナキストみたいなことを言っているのが面白かった。彼女だけではない。ヒッピーとか、パンクとか言われた世代の人間で、いつの間にかモナキストに転向した人びとはたくさんいる。

そんな流れの中、現在でもアンチ王室の気炎を吐き続けているのが、パンク時代の『NME』ライターだったジュリー・バーチルである。

英国がエリザベス女王のダイヤモンド・ジュビリー（即位六十周年）で盛り上がっていた二〇一二年の初夏、バーチルは、「これまで私が生きてきて、英国人がこれほど恥ずかしげもなくモナキストだった時代はなかった」と嘆くコラムを発表した。バーチルは、英国ポップ界の著名アーティストを一堂に集めてバッキンガム宮殿で行われたダイヤモンド・ジュビリー・コンサートを例に挙げ、一九六三年のロイヤル・ヴァラエティー・コンサートでのビートルズのパフォーマンスと比較する。一九六三年のコンサートに登場したビートルズのジョン・レノンは、王室のメンバーが特別席に座っていた会場に向かい、こう言ったのだった。

「最後の曲をやりますが、ここで皆さんにご協力をお願いしたい。安い席に座っている人びとは曲に合わせて手を叩いてください。それ以外の方々は、身に着けておられる宝石をじゃらじゃら鳴らしてください」

バーチルは偽善の匂いには手厳しいので、「そういう彼にしても、中年になると『イマジン・ノー・ポゼッション』と歌いながら、ニューヨークのダコタ・ハウスでは、自分とヨーコ所有の毛皮のコートをもっとも良い状態で保存できる室内温度を保っていた」と嚙み付くが、その一方で、ロイヤル・ヴァラエティー・コンサートでの彼の発言は「一縷の高潔な灯のようだった」と書いている。

昨年行われたジュビリー・コンサートでは、ポール・マッカートニーを含む出演者全員が、特別席に座っていた王室のメンバーに頭を下げた。もはや、「反抗」を演じてみせるアーティストすらいない。みんなハッピーに歌い踊り、王室の存在をセレブレートしていた。

「反抗者たち」が英国ポップのメニューから消えてしまった理由は、バーチルに言わせれば、現在のヒットチャートに入っているアーティストたちの出自を見ればわかるという。英国では、十人にひとりの子供たちが授業料を払わねばならない私立校に通っているが、現在のチャートに入っているアーティストの六〇％は私立校の出身者だそうで、「二十年前は一〇％だった」とバーチルは嘆く。

実際、音楽界やジャーナリズムなどの、昔は「ワーキングクラスの賢い子供たち」が貧民街から脱出できるルートを提供していた業界が、現代では中流・上流階級のエリートたちや、業界人の二世たちに占領されているという。「パパやママがいなかったらコラムニストになんてなれた筈もない退屈な二世ライターたちの台頭は、現代社会の不快きわまりない犯罪のひとつだ。そういうライターの親に限って、『下層の子どもたちは一生懸命に勉強して〝きちんとした仕事〟に就きなさい』などと新聞に書いている」と、バーチルはこの状況を憂う。

つまり、この説でいけば、英国のソーシャル・クラスは昔よりもいっそう強固になっているということであり、階級間の流動性がなくなっているということだ。おぎゃあと生まれ落ちる環境や階級によって人間が就く仕事（あるいは就かずに生活保護をもらう）というものはすでに決定されており、貧者のサクセス・ストーリーがあり得ない世の中になったということだ。自らワーキングクラスの出身であり、十七歳で『N

ME』のライター募集に応募したことから書き手としてのキャリアをスタートさせたバーチルは、「世襲の法則が、私たちの生活のあらゆる部分で勢力を伸ばしている」と書く。言うまでもなく、「世襲の法則」の最たるものが王室であるので、王室をセレブレートすることは、世襲の概念をセレブレートすることだとも言えるだろう。

どうしてこれほど王室ラヴァーであることを公言する人びとが増えたのだろう。と思うとき、個人的にはトニー・ブレアという政治家の存在を思い出さずにはいられない。サッチャー以降の保守党政権が終焉し、「英国を変える若き首相」としてブレアが颯爽と登場したとき、王室は危機に瀕していた。チャールズとカミラの公然たる不倫、度重なるダイアナのリベンジ浮気スキャンダル、離婚。未来の王のファミリーは崩壊家庭であり、エリザベス女王は常に無表情で、冷たい姑のイメージを払拭できなかった。

こうして王室の人気が地に落ちていたときに華々しく登場したブレアは、ダイアナの死を自らの人気を高める機会として巧みに利用する。沈黙を守り続けたエリザベス女王とは対照的に、速攻でダイアナの追悼演説を行い、「ピープルズ・プリンセス（人びとのプリンセス）」という言葉で民衆を泣かせ、本人は何をしたわけでもないのに「名首相の名演説」と国民から拍手喝采を受けるのである（ちなみに、「ピープルズ・プリンセス」はブレアが考案した言葉ではない。この言葉を自筆コラムの中で最初に使ったのは、他でもないジュリー・バーチルであり、ブレアの演説文を執筆したアリステア・キャンベルがそれを読んでパクったことを素直に認めている)。

エリザベス女王は、ダイアナの死後の対応において、ブレア首相に完敗した(このあたりのことは、スティーヴン・フリアーズ監督の映画『クィーン』に詳しく描かれている)。こうしてブレアは王室に代わる英国のアイコンになるわけだが、その後、英国民は彼の口の巧さ(というか、PR担当アリステア・キャンベル執筆の演説文の巧さ)にまんまと騙されてイラクと戦争させられたり、アゲアゲ系の政治のおかげでとんでもない財政赤字になっていたことに気づかされ、ブレア人気は地に落ち、大いなる政治不信の時代が到来する。

現在の首相であるデイヴィッド・キャメロンなどは、保守党が政権を握る前、「地球にやさしいエコロジー政策」を推進していたことがあり、サイクリングウェアにヘルメット姿で国会に自転車通勤しながら、背後からベンツでスーツと鞄を運ばせていたことが発覚し、「アホ丸出し」と国民から大笑いされた人だが、その同じ国民がキャメロンに一票を投じ、彼を首相にしたのである。このことから見てもわかるように、英国民はもはや政治家というものに何の夢も抱いていない。どいつを選んでも茶番である。という非常に醒めたムードが広がっており、これは、ブレアに期待し過ぎ、激しく裏切られた過去の後遺症とも言えるだろう。

それ故、ＰＲだのスピンだのといった醜い手練手管を尽くしてトップまで昇っていく政治的指導者より、「世襲の法則」によって最初からそこにいる王室のメンバーの方が美しい。国が栄えているときも、苦しいときも、彼らの一族は時代を超えて国民とともにいた。などという心境に英国民が陥っているとすれば、それはたいへんに不健康であり、危険だとも言えるだろう。

なぜなら、世襲のものを価値あるものと崇めることは、伝統を愛することではなく、生まれ落ちたコンディションで人間を判断し、縛ることを肯定することだからだ。

「モナキストであること、――つまり、ある少数の人間のグループが、生まれながらにして他の人びとより尊敬される資格を持っていると信じるということ――は、レイシストであることと同じぐらい歪んでいて、異様だ」

とバーチルは書いている。ある人間が、なぜモナキストに反対するのかという理由をこれほど鮮やかに書いた文章を、わたしは他に読んだことがない。

英国王室のケイト（キャサリン妃）が子供を産んだ日、ハックニーの病院でも何人も赤ん坊は生まれている。

ロイヤル・ベビー効果で英国でベビー・ブームが起きている。などという人があるが、そういう人びとは物事の本質を見ていない。現在の英国のベビー・ブームを牽引しているのは、アンダークラスの女性たちだ。幼い子どもを何人も抱えた家庭からは、保守党といえども生活保護を打ち切れないことを知っている母親たちが、貧民街で毎年のように子供を産んでいるからだ。

が、英国や世界はロイヤル・ベビーの誕生に熱狂し、ハックニー・ベビーズのことは忘れている。というか、考えたくないのだろう。

ハックニーの街が暴動の赤い火で炎上していたのは、ほんの二年前のことなのだが。

（初出：『ele-king vol. 11』）

WBS（悪くて、バカで、センチメンタル）

どうしてこんなにストーン・ローゼズが好きなのだろう。と思う。ひとつには、彼らのファーストが出た年、わたしはロンドンにいたということがあるかもしれない。あの年、誰もが聴いていたのは、ローゼズのファーストとピクシーズの『ドリトル』だった。

一九八九年は、不思議な年だった。初夏というものは一切なく、本格的な夏になっても寒かったので、革のライダースジャケットを着てクラブに出かけていた。そのくせ、八月になると、一気に夏が来た。そしてその夏は、九月、十月まで続いた。

あの年にセカンド・サマー・オブ・ラヴが盛り上がりを見せたのは、残暑が厳しかったからだ。というのを新聞か何かで読んだが、実際には、本格的に暑い夏が来た頃にはセカンド・サマー・オブ・ラヴはすでに終わりはじめていた。

その儚さは、どこかストーン・ローゼズに似ていた。

あれほどの可能性を秘めながら、はらりと落ちる花びらのように短命で滅びてしまったバンド。そういう点では、ローゼズはセックス・ピストルズのようだった。両者は青春のバンドだったと言えるだろう。二度と戻らぬ青い春。取り返しのつかない若き日。

とかいう、まことにセンチメンタルな回想もできるのだが、BBCの『Blood On The Turntable』というドキュメンタリー・シリーズを見た時、このふたつのバンドは、なるほど青春などという感傷的なキーワードではなく、「マネージャーのせいで潰れた」という、実に現実的なファクトで繋がっていたことを思い知らされたのであった。

このドキュメンタリーは、悪徳マネージャーのおかげで短命に終わってしまった伝説のバンドを考察する。という主旨の番組だったのだが、セックス・ピストルズ&マルコム・マクラレン編は、放送当時はけっこう話題になった。こちらはバンドのメンバーたちがインタヴューに応じており、番組最終部でジョン・ライドンとマルコム（二〇〇四年だから、まだ元気で存命だった）が繰り広げた一本勝負。というか、まるで掛け合い漫才のようなやり取り（別々に収録されているのに、どうしてあんなに息が合うのか）は、ファンの間では伝説になっており、わたし自身、むかしジョン・ライドン擁護&応援サイトのようなものをやっていたときに詳しく書いたことがある。が、ローゼズの方は、マネージャー本人はしゃしゃり出て来たものの、マニ以外の現メンバーは出演せず、まだローゼズ再結成の話が出る何年も前だったので、ひっそり人知れず放送された感があった。

ローゼズをスターにしたと自負しているマネージャー、ギャレス・エヴァンスは、元美容師（そのわりには最低のファッションセンスをしていたとマニから爆笑されている）、地方の田舎の町にいがちな詐欺師系起業家である。たとえば、大昔、福岡で〝めんたいロック〟と呼ばれる妙なムーヴメントが盛り上がっていた頃、そのブームを利用して何かやってやろうとしていた大人たちの中には、音楽のことなんか全く知らなさそうなパンチパーマ崩れみたいなおっさんも混ざっていたが、まあ要するに、エヴァンスはマンチェスターのパンチパーマだった。ファクトリー・レーベルのハシエンダが繁盛しているのを見たエヴァンスは、ナイトクラブは儲かる。と思いついて、インターナショナルを開店。ある程度軌道に乗せると、今度はバンドのマネジメントで大儲けしたくなり、ローゼズと契約する。その理由は、ローゼズはすでにそこそこ客を呼べるようになっていながら、ファクトリーの息がかかっていなかったからだという。

ノエル・ギャラガーが、当時のファクトリー周辺の人びとについて、「いつもポエトリーを読んで、字幕つきの映画を見ている、非常にうさんくさい奴ら」と番組中で発言しているのに笑ったが、ローゼズの元メンバー、アンディ・カズンズによれば、トニー・ウィルソンはローゼズを毛嫌いしていたらしい。後にジョン・スクワイアのアートの影響で、お洒落でアーティーなイメージも付加されるローゼズだが、彼らの本質はオアシス同様、あくまでもそこら辺を歩いているクソガキどものバンドであり（そこもセックス・ピストルズと通じる）、現代ならばChavにも愛されていただろう下層臭があった。

だからこそ、彼らがうっかりパンチパーマ（別にエヴァンスがそんな髪型をしていたわけではない）と契約してしまったのは、なんとなく頷ける。〝サリー・シナモン〟をハード・ロック系のレーベルFM Revolverから出してしまった（これが後々、有名なペンキぶちまけ事件に発展する）のも彼だし、サマンサ・フォックスやビリー・オーシャンなどを擁するダンス系レーベルだったジャイヴ・レコードと契約を結んでしまったのも彼だ。しかし、ジャイヴ・レコードの場合は、ちょうどグループ傘下に発足しようとしていたシルヴァートーン・レコードの第一号バンドとなり、プロデューサーのジョン・レッキーとの出会いもあってブリリアントな結果を残すことになるのだが（ここら辺が、バンドの運である）、音楽性など全く考えず、手っ取り早く金になりそうなところと安易に契約してしまうのが、パンチパーマ系マネージャーの性である。

セックス・ピストルズは、音楽やファッションに対して自分なりの哲学を持ち、パフォーミング・アートを愛していた（本当は自分がパフォーマンスしたかった）マネージャーが、自分の手で拵えようとした彫刻のようなバンドだったが、そこにジョニー・ロットンという想定外の天才が入って来たものだから、彫刻が生き物として動き出し、彫刻家の許容範囲を超えて大化けしたバンドだった。

一方、ローゼズの場合は、地方のパンチパーマおやじがビートルズの運命を預かっていた。みたいな、最初から決してあってはならない組み合わせだったのであり、もはや許容範囲がどうとかいうような問題ではなかった。ハッピー・マンデーズのショーン・ライダーは、番組中で、「ストーン・ローゼズは、あのマネージャーがいなくても世に出ていた。むしろ、あのマネージャーがいたからポシャった」と語っている。

エヴァンスが、「後でどうにかなるだろう」というパンチパーマ系にありがちな考え方で、まるで終身刑のような契約をシルヴァートーンと結んでしまったため、後に移籍不可能になって裁判の泥沼に発展し、バンド側は勝訴する。が、その直後に、エヴァンスはメンバーたちから解雇されている。解雇の理由は、裁判中にエヴァンスがバンドの利益をネコババしていた（ここら辺はマルコムも同じ）ことがバレるからだが、移籍可能になったローゼズが米国の大手レーベル、ゲフィンと契約を結び、二〇〇万ポンドを超える前払金を受け取ると、このエヴァンスという人は、バンド側を相手取り、マネジメント契約違反の裁判を起こして、ちゃっかり非公開の金額の示談金をふんだくっている。

その後、彼はその時の金でニュー・ビジネスを立ち上げるわけだが、それは新しいバンドを育てることでも、新レーベルを立ち上げることでもなかった。そうではなく、マンチェスター郊外にゴルフ場を開いたというのだから、これこそパンチパーマの王道だろう。

そう考えると、ピストルズの興隆と崩壊の電光石火のような華やかさに比べ、ローゼズのほうには、何かうすら寂しいというか、しょぼいというか、やりきれないものを感じる。

しかし、一番サッドなのは、悪徳マネージャーを追い払った後のバンドの行く末である。米国のレーベルと契約して金を手にしたメンバーたちが、やる気を失って空中分解していく過程は、うちの近所をふらふら歩いている下層のティーン・ギャングたちがいきなり大金を握ったらどうなるか。ということをリアルに想像させ、かなしいものを感じる。

「前はみんな近くに住んで、いつも一緒にいたんだよ。それが、ある者はこっちの郊外にデカい家を買って、またある者は街の反対側にデカい家を買って、だんだん離れていって、バラバラになった。バンドは一緒にくっついていないとダメなんだよ」とショーン・ライダーは証言し、マニは、『セカンド・カミング』制作過程について、

「(契約があるので)やんなきゃなあ……、という感じだったよ、はっきり言って」と語っている。地方の下層社会の子供たちが、急に金持ちになって腑抜けていく様が透けて見えるようである。

マンチェスターは、日本でいうなら大阪などと言われるが、間違ってもそんな大都市ではない(それはロンドンと東京の規模を比較してもわかるだろう)。地方の、田舎の街である。

ストーン・ローゼズを思う時、腹を減らして目をギラギラさせた痩せた若者たちと、パンチパーマ崩れの「一発儲けてやろう」おやじたちが、ふらふら交錯している地方の貧民街の風景がわたしには浮かぶ。イアン・ブラウンに至っては、暴力沙汰、喧嘩、DVなどでの逮捕が報道されるたびに、彼は貧民街ジャージ男の元祖であったのだということを痛感するばかりで、なんかこう、彼らには、わたしがよく知っている世界の臭いがするのだ。

ピストルズやザ・スミスに大きな影響を受けたというノエル・ギャラガーは、ローゼズにもやられたようだが、そのやられ方は、他のバンドに対するものとは少し方向性が違っていたようだ。

「〝サリー・シナモン〟を聴いた時、これだ、と思った。あ、これは俺にも書けるって」

と番組中で語っている。そしてその後、オアシスが出て来て、Ｃｈａｖたちの御用達バンドになったのは言うまでもない。

日本の菊池成孔という人が、新宿歌舞伎町の日常を語る時にＷＢＯ（悪くてバカでおもしろい）という言葉を使用しておられるそうだが、わが貧民街の日常にもこの言葉はそのまま当て嵌まる。が、そこから発生するロックということになると、ＷＢＳ（悪くてバカでセンチメンタル）という言葉の方が的確な気がする。どこか演歌性を帯びたオアシスは紛れもなくＷＢＳの雄だが、その源流にはストーン・ローゼズがいた。

だからこそ、英国映画界のＷＢＳキングとも呼べる『This Is England』シリーズのシェーン・メドウズが彼らのドキュメンタリーを撮ったのは、しごく当然の人選だったと思うのだ。

「俺はこの映画を撮れるファッキン唯一の人間なんだ。俺はこのファッキン映画をやれなかったら、ファッキン死のうと思った」

などというメドウズのインタヴューをテレビで見たりすると、ああ。なんという救いようもないバカなのであろうか。と軽くピュークしたい気持ちになってしまうが、脳と肉体は時として別々に反応するものなので、わたしの右手はいつの間にかフィストなど握ってしまっている。

この拳はメイド・オブ・ストーン。

などという、これまたどうしようもなくWBSなことをつぶやいている自分が誰よりも一番WBSだったことに絶望しながら。

（単行本時の書き下ろし）

ジェイク・バグ

カウンシル・エステート（公営住宅地）。というのは、むかしはUKロックとは切り離せない場所だった。「俺は、フィンズベリー・パークの公営住宅出身だ」とジョン・ライドンは今でも言うし、マンチェスターの公営住宅地の若者のミゼラブルな日常をリリカルに歌ったのがモリッシーなら、それにある種の演歌性のような要素を加味して国民的アンセムにしたのはオアシスだった。最近では、昨年のロンドン暴動と関連付けて解説されることの多いフディーズ映画『アタック・ザ・ブロック』の舞台もロンドンの公営団地である。

と書くと、きっと貧しくてもヒップでクールなところなのね。と勘違いされそうだが、そんなクールな貧乏人は奇跡のような確率でしか出て来ないのであり、実際に暮らしてみればどれほど気が滅入る場所なのか。ということは、わたしは長年ブログで書き続けて来たのでここではスルーするが、ジェイク・バグの出身地、ノッティンガムのクリフトンという地域は、英国最大の公営住宅地のひとつである。

わたしが初めて彼を見たのは、昨年の秋。BBC2の『Newsnight』の金曜カルチャー・レヴューのコーナーだった。作家だのなんたら評論家だのといったインテリ中年がずらりと並んで座ったスタジオで、まるでうちの近所を歩いていそうな風体の少年が、たったひとりでアコースティック・ギターを抱え、しんと醒めた目つきで歌っていた。

公営住宅地のボブ・ディラン。だと思った。が、同時に、このブリアントなガキはこの時代にウケるのだろうか。とも思った。

公営住宅地といえば、昔はピストルズだったりギャラガー兄弟だったりしたかもしれないが、現在はブラックやブラウンと呼ばれる人びとの音楽が象徴する場所になっている。ロンドンのエスニックな食品の臭いのする公営住宅地ならそれでもいいだろうが、今でも地方に行けば公営住宅地を占領している〝ホワイト・トラッシュ（白屑）〟の姿が、ロックの歌詞に現われなくなって久しい。UK白人ロックは、やたらとインテリおタクぶっているか、ウィーピーにめそめそしているか、のミドルクラス・ミュージックに成り果て、下層民のものではなくなっていた。そこには、たしかにニッチが存在していたのである。

しかし、R&Bがクールとされて久しい現在の英国で、いくらなんでも、ディランやドノヴァンみたいな白人っぽいレトロサウンドは受け入れられないだろう。

というわたしの予想はまったく外れ、弱冠十八歳のジェイク・バグのデビュー・アルバムは、英国のマライア・キャリーと呼ばれるレオナ・ルイスを抜き、ＵＫアルバム・チャートで一位になった。ノエル・ギャラガー、ストーン・ローゼズなどの、この少年の音楽性を高く買っている大人たちが、自らのツアーのサポート・アクトとして彼を起用してきた効果もあっただろう。また、昨年からＢＢＣがテレビ、ラジオの双方でやたらと彼をプッシュして来た印象があり、同局の音楽好きの中年幹部たちが組織的プロモ活動を行ってきたのではないかとも思える。

とはいえ、そうした大人側の啓蒙活動だけでは、一位にはならない。それだけではないのである。きっとこの少年のプレ・ロックな音楽には、今世紀のＵＫロックが取りこぼしてきた世界があるからだ。

「スピード・バンプみたいな街に閉じ込められている。ここでただひとつのビューティフルなことと言えば、脱出する考えだけ。高層の公営団地が頭の上に聳え立つ。人びとが所持しているものといえば、生活保護受給金だけ。そんなもんじゃ日々の暮らしもままならない。問題を抱えたこの街では、問題ばかりが目につく」（"Trouble Town"）と、公営住宅地の若きボブ・ディランは歌う。

不況下で強行されている保守党政権の予算削減政策により、二年前には学生デモが勃発し、昨年はロンドン暴動、今年はジュビリーやオリンピックなどのため路上に警官が多数配置されていたので物騒な事件はなかったが、だからといって貧しい若者たちの怒りが消滅したわけではない。

お祭り騒ぎの夏が終わってみれば、状況はその前より悪化していた。という現実を直視している若者たちが、どんどん店が潰れていく地方都市のさびれた商店街を歩くとき、そこに流れている流行歌には、ジェイク・バグの曲こそがふさわしい。

Something is changing, changing, changing（"Two Fingers"）

彼はアコースティック・ギターをつまびきながら、醒めた瞳で淡々と煽る。

それは、保守党政権下で締め付けられている貧民たちの夢想を代弁しているかもしれない。しかし、このような少年のアルバムがチャート一位になっているこの国の音楽シーンには、すでに変化は夢想ではなく、現実として起こりはじめている。

Something is changing, changing, changing

ひどい時代は、おもしろい時代でもある。

（初出：web ele-king Oct 26, 2012）

第2章　音楽とポリティクス

インディオのグァテマラ

ロック。という音楽は、米国で白人に奴隷として使われていた黒人たちが夜な夜な歌い踊っていた音楽と、ジャガイモ飢饉で大挙して米国に渡り、やはり白人階級の中では最下級の存在として労働していたアイルランド人が歌い踊っていた音楽が、十九世紀後半に何かの拍子で出遭い、混ざり合って出来た音楽だという説がある。つまり、この説でいえば、ロックとは、虐げられた黒人と白人の音楽が混合して出来上がった下層のハイブリッド・ミュージックだったわけである。

この説に並々ならぬロマンを感じていたのがセックス・ピストルズのマネージャーだった故マルコム・マクラレンだ。彼は、この説を叩き台にした映画を撮る企画を熱っぽく英紙に語ったことがあった（米国で異人種の音楽が出遭うきっかけを作るのが何故かオスカー・ワイルド。という、いかにも彼らしい設定だったらしい）が、結局はその夢を果たせないまま他界した。

この野望を語るマルコムのインタヴュー記事を読んだ時、わたしが最初に思い出したのは、英国のミュージシャンでも、米国のミュージシャンでもなく、山口冨士夫だった。

十代の頃からの友人が、村八分に参加していたことのある男性と同棲していたという事情もあり、友人とわたしは年上のその男性に連れられ、東京で何度かティアドロップスのギグを見に行った。それはわたしが英国とアイルランドと日本を行ったり来たりする若い娘だった時代の話だが、山口冨士夫という人のバンドは、ロンドンのマーキーやダブリンのトリニティ・カレッジのホールで見るロック・バンドと比較しても遜色ないと思っていた。

友人の恋人から村八分時代の冨士夫やチャー坊の逸話を聞かされたわたしは、日本のロックというのは、村八分のことである。という主張を抱いて来た。わたしは福岡出身の人間なのでサンハウスも聴いたし、柴山俊之や鮎川誠の長距離ランナーとしての凄みや、博多の人間らしい芸人根性もわかる。

が、ロック。というのは、芸人や音楽家として優れていることとはちょっと違う。

黒人の血を引く日本人として生まれ、ひどい差別を受けながら施設で育ったという、戦後日本の矛盾や浅ましさを全身で受けとめながら生きて来たような冨士夫のギターには、芸事の巧さや楽曲の出来云々では語れない（おそらく今どきの人びとに言わせれば音楽のクールさとは全く無関係な）スピリッツとか、アティテュードとかいうようなものの轟きが宿っていた。

マルコム・マクラレンという希代のロマンティストがそう信じたように、ロックの起源が虐げられた者たちの異人種交合ミュージックであったとするなら、山口冨士夫は日本のロックのオリジンだったとも言えるのではないか。

＊

『街のものがたり――新世代ラッパーたちの証言』を読んでいて、ＯＭＳＢやＭＡＲＩＡのインタヴューの箇所でふと思い出していたのも冨士夫のことだった。彼らのストーリーは、昔も今も、一貫して存在しているのである。

数年前、ブライトンから福岡に帰省した時に、バスの中で三歳の息子が泣いたことがあった。「みんなからジロジロ見られるのが怖い」という。あのジロジロは確かに日本独特のものだと思う。英国なら、目が合えばにこっと笑ったり、とりあえず何か言ったりする。相手に喧嘩を売っているわけでもなければ、無言で誰かを凝視するというようなことはしない。

「なんでみんな僕を見ているの？」

と尋ねてきた息子にわたしは言った。

「他の人たちと違うからだよ」

「？」

「例えば、イングランドのバスだって、誰かが犬を連れて乗ってきたら、みんな一斉に犬を見るじゃん。あれと同じ」

と答えると、息子が「僕は犬じゃない」と言って余計ぎゃんぎゃん泣きはじめたので、しまった。と反省したことがあったが、しかし、要するにあれは犬のようなものだからなのである。わたしの祖国には、日本人離れしたものを妙に崇める風潮があるる一方で、本当に身近に存在する日本人離れしたものは凝視し、排他する傾向がある。

英国で、「No Blacks, No Dogs, No Irish」（北部では「No Blacks, No Gypsies, No Irish」と言われていたそうだ）が罷り通ったのも、子供の頃の冨士夫が日本で差別されていたのと同じ時代だ。

英国で黒人やアイルランド人をもっとも激しく差別したのは、実はワーキング・クラスの人びとだった。というように、戦後の日本でも、貧しい人びととの歪んだ憂さ晴らしの矛先が下層の「日本人に見えない者」に向けられたのは容易に想像がつく。

ひどい時代に弱者が一つになる。というのは、あれはわりと幻想で、ひどい時代ほどひどい目にあっている者がさらに弱い立場の人間に対してひどいことをする。しかし、そうした人間の本性が剝き出しになっている時代は、虐げられている者たちの怒りやせつなさが表現として噴出する時代でもあろう。

が、わたしの祖国の場合には、その後、「国民みんなそれなりにお金持ち」のスローガンと共に、政府と国民が共謀して下層の存在を隠蔽した時代がやって来て、虐げられている者。などというコンセプトじたいがどうしようもなくダサくてアナクロで、「やっだー、いまどき何言ってんのー」と笑われる時代がやってきた。

英国の場合、サッチャーの時代までは下層の叫びはロックのテーマになり得たが、トニー・ブレアが登場すると、日本の「みんなお金持ち」時代と似たようなアゲアゲ系のムード重視政治の時代が到来し、やはり虐げられた者はコメディのネタになってしまった。

が、UKでは保守党が政権を奪回し、再びサッチャー時代ばりにひどい時代がやって来てしまったので、昨年はジェイク・バグのような人がチャート一位になるという現象も起き、数年前なら余裕でアイコンになっていただろうトム・オデールのような人が「クソMORの焼き直し」とこき下ろされるような風潮になっているが、日本は、どうなのだろう。

と思っていた矢先に、日本のロックのオリジンである山口冨士夫が逝った。

＊

冨士夫の死を知らされた日、勤務先の保育園の庭でティアドロップスをかけていた。

職場には音楽好きの保育士が何人かいるので、裏庭で子供を遊ばせるときに、およそ保育園らしからぬ音楽がかかっていることがたまにあるが、わたしがかけたティアドロップスでも子供たちはノリノリで踊っていた（ちなみに、彼らはボガンボスも大好きだ）。

〝いきなりサンシャイン〟で四歳児がギターを抱えているふりをしてがんがん掻き毟るような仕草をしたときには、ああ、やっぱりこれを聴くと、万国共通、みんな富士夫になるんだよ。と、つい目頭が熱くなったが、英語を母国語（または第二母国語）とする子供たちにはこの曲が一番発音しやすかったのか、キャッチーで覚えやすかったのか、そのうちぽつぽつと子供たちが歌いはじめた。

グァテマラのインディオ　インディオのグァテマラ

白い肌や黒い肌、茶色い肌、黄色い肌、それらの色が混ざり合ってもはや何色なんだか判然としなくなった肌、をした子供たちが山口冨士夫と一緒に歌っていた。

グァテマラのインディオ　インディオのグァテマラ

冨士夫がこれを見たら、何と言っただろう。と思った。

英国の夏の空は、珍しく真っ青に晴れ渡っていた。

あの日は終戦記念日だった。が、インドが英国から独立した日でもあることをお迎えに来た保護者の一人が教えてくれた。

（初出：web ele-king Aug 22, 2013）

キャピタリズムと鐘の音

なんで年頭になるとわたしは左翼の人になるのだろう。

昨年（二〇一三年）の正月は紅白の「ヨイトマケの歌」を見ながら、日本の労働者階級について考えていた。で、今年はケン・ローチ監督のドキュメンタリー『The Spirit Of '45』のDVDを見ていたのだが、この作品はケン・ローチが昨年十一月に発足させた新左翼政党レフト・ユニティーのコテコテのプロパガンダ映像である。一部メディアには酷評されたが、しかしこれを見ると、英国には社会主義国だったとしか言いようのない時代があったのだとわかる。

タイトルで謳われている一九四五年とは終戦の年だ。

日本が降伏を宣言し、マッカーサーが神奈川県に降り立った年である。

一方、戦勝国の英国では、国を勝利に導いたチャーチルの保守党が選挙でなぜか大敗し、労働党政権が誕生した年だった。

保守党政権下の一九三〇年代は貧富の差が極端に拡大した時代だったという。「貧民の子供はよく死んだ」と証言している老人がいるが、国の至るところにスラムが出現し、貧者が集合的に檻の中に入れられ切り捨てられている様子は現代の英国とも重なる。開戦で真っ先に戦地に送られたのはこうした貧民だったわけだが、彼らは戦地で考えていたという。「俺たちはファシズム相手にこれだけ戦えるのだから、戦争が終わったら、力を合わせて自分たちの生活を向上させるために戦えるんじゃないか」と。

終戦で帰国した兵士たちは、空襲で破壊された街や、戦前よりいっそう荒廃したスラムを見て切実に思ったそうだ。「こりゃいかん。俺ら、別に対外的な強国とかにはならんでいいから、一人ひとりの人間の生活を立て直さな」と。

それは「ピープルズ・パワー」としか言いようのない下から突き上げるモメンタムだったという。

戦勝国の名首相（チャーチルは英国で「史上最高の首相」投票があるたびに不動の一位だ）が、戦争で勝った年に選挙で大敗したのである。それは、当時は純然たる社会主義政党であった労働党が、「ゆりかごから墓場まで」と言われた福祉国家の建設を謳い、企業を国営化して人びとに仕事を与えることを約束し、子供や老人が餓死する必要のない社会をつくると公約して戦ったからだ。労働党にはスター党首などいなかった。彼らは本当にその理念だけで勝ったのだ。

ＵＫの公営住宅地は、現代では暴力と犯罪の代名詞になっているが、もともとは一九四五年に政権を握った労働党が建設した貧民のための住宅地だ。あるスラム出身の老人は、死ぬまで財布の中に「あなたに公営住宅をオファーします」という地方自治体からの手紙を入れてお守り代わりにしていたという。浴室やトイレがある清潔な家に住めるようになったということは、彼らにとっては一生お守りにしたくなるほどの福音だったのだ。

一九三〇年代には無職だった人びとも、鉄道、炭坑、製鉄業などの国営化によって仕事をゲットし、戦時中に兵士として戦った勢いで働いた。

「ワーキングクラスの人間は強欲ではないんです。各人が仕事に就けて、清潔な家に住めて、年に二回旅行ができればそれ以上は望まないんです」

と、ある北部の女性が『The Spirit of '45』で語っている。

キャピタリズムが「それ以上」を望む人間たちが動かす社会だとすれば、ソーシャリズムとは「それ以下」に落ちている人間たちを引き上げる社会なのだ。

ロンドン五輪開会式の演出を任されたダニー・ボイルは、NHS（英国の国家医療制度）をテーマの一つにした。

NHSこそ、一九四五年に誕生した労働党政権が成し遂げた最大の改革である。「富裕層も貧者も平等に治療を受けられる医療制度」という理念を労働党は現実にしたのだ。

現代のNHSには様々の問題があり、レントゲン撮ってもらうのにも二か月待たされた。というような細かい文句はわたしはブログで延々と書いてきたし、連合いが癌になった時もGPにいい加減にあしらわれ続けたおかげで末期になるまで発見されなかった。

が、彼が今も生きているのはNHSが無料で治療してくれたおかげだし、「子供ができない」と相談したらNHSは無料でIVFもやってくれた。うちのような貧民家庭では、NHSが存在しなかったら、連合いは死に、子供はおらず、わたしは独りになっていただろう。

英国の医療が発達したのもNHSの副産物だったという。それまでは、患者の支払い能力に応じて治療法を選択して売るといういわば医療商人だった医師たちが、費用のことは一切心配せず、「この患者をどうやって治すか」ということのみに没頭できる医療職人となって医療技術を飛躍的に前進させたのである。「この国は、たとえ王室がなくなっても、NHSだけは失ってはいけない」と『The Spirit of '45』で語っている庶民がいる。

日本の中継ではほとんど触れられなかったそうだが、ロンドン五輪開会式でダニー・ボイルがあれほどNHSのテーマに時間を割いたのも、「開会式ではNHSの部分が最高だった」と言う英国人が多いのにも理由がある。それは、NHSが英国のピープルズ・パワーを象徴しているからだ。

しかしそのピープルズ・パワーも時の経過と共に英国病を患い、七〇年代末に登場したマーガレット・サッチャーが The Spirit of '45 を片っ端から粉砕していくと、英国はキャピタリズム一直線の道を進みはじめ、それは今日まで途絶えることなく続いている。もはや、最後の砦NHSさえ、細切れに民営化されはじめた時代だ。

英国のワーキングクラスの人びとの強い階級への帰属意識も、もとを正せば「一九四五年のスピリット」に端を発しているのだと思う。下からのパワーがチャーチルをも打ち負かし、庶民が自分たちの手で自分たちの生活を向上させた、そんな時代が本当に英国にはあったからだ。実際、「ワーキングクラスがもっともクールだった」と言われている六〇年代に、それまでは上流階級の子女の仕事だったジャーナリズムやアートといった業界に下層の子供たちが進出していけたのも、一九四五年に労働党がはじめた改革のおかげだ。労働者階級の子供たちも大学に行けるようになったからである。それまではそんなことはインポッシブルだった。

が、現代のＵＫは、またそのインポッシブルな世の中に逆戻りしている。

「キャピタリズムは悪い意味でのアナキズムだ」と左翼の人びとはよく言う。政治が計画を行わず、インディヴィジュアルの競争に任せれば、優れた者だけが残り、ダメなものは無くなって自然淘汰されて行く。という行き当たりばったりのDOG-EAT-DOGな思想は、たしかにアナキーであり、究極の無政府主義とも言える。どうりで英国の下層の風景にわたしがアナキーを感じるわけである。「ブロークン・ブリテン」とは、キャピタリズムの成れの果てだったのだ。「アナキズム・イン・ザ・ＵＫ」とは、「キャピタリズム・イン・ザ・ＵＫ」のことだったのか。と思いながら、『The Spirit of '45』を見ていると（本編とインタヴュー編を合わせると八時間半の大長編だ）、

「社会主義が最初に出現したのはいつでしょう」

というケン・ローチの質問に、ある学者がこう答えた。

「究極的にいえばキリスト教が社会主義だ。だからそれが誕生した時代にはすでにあった」

たしかに、「金持ちが天国に入るのは、駱駝が針の穴を通るより難しい」と言ったジーザスは、いきなり市場を破壊したこともあるぐらいだからキャピタリズムは大嫌いだったろう。

しかし、キリスト教だけではない。「どんどん強欲になることを生きる目的にしなさい」とか「勝つことが人間の真の存在意義です」とかいう教義を唱える殺伐とした宗教はまずないだろうから、本来、宗教というものは反キャピタリズムだ。

社会主義や宗教には、政府や神といった号令をかける人がいて、「みんなで分け合いましょう」とか「富める者は貧しい者を助けましょう」と叫ぶ。わたしは保育園に勤めているが、大人が幼児に最初に教え込まねばならぬのは排泄と「SHARING」である。英国の保育施設に行くと、保育士が「You must share!」と五分おきに叫んでいるのを聞くだろう。つまり、人間というものは本質的に分け合うことが大嫌いなのであり、独り占めにしたいという本能を持って生まれて来るのだ。そう思えば、キャピタリズムというのは人間の本能にもっとも忠実な思想である。本能に任せて生きる人間の社会が、「You must share!」と叫ぶ保育士がいなくなった保育園のようにアナキーになるのは当然のことだ。

＊

ジェイク・バグのレヴューを書いたとき、書きたかったのだがやめたことがある。それは彼の歌詞になぜか教会が出てくるということだ。今どきのＵＫの貧民街には教会など存在しない。信者（＝寄付）が集まらなければ成り立っていかないので、貧民街からは教会もとっくに撤退している。それに、教会が歌詞のモチーフに使われるＵＫのポピュラー・ソングなど現代では聞いたこともない。

レトロな感じの歌詞が書きたかったのね。と最初は思ったが、〝ブロークン〟に出てくる「谷間に響く教会の鐘の音」とは、いったい何なのだろう。

キャピタリズムの成れの果てであるブロークンな街に、遠くから響く鐘の音。

ヒューマニティーという鐘の音に渇望する人間の心を、ジェイク・バグはそうとは知らずに代弁してはいないだろうか。

（初出：web ele-king Jan 14, 2014）

淫らなほどキャピタリスト。の時代

日本のフットボールクラブのサポーターが「Japanese Only」と書かれた横断幕をスタジアムに掲げて問題になったという。

日韓共同開催W杯のときに日本に行った英国人にその話をすると、「あのときも日本の飲食店には『Japanese Only』と書いた紙を貼っている店があった」という。あの「Japanese Only」も、当時UKではちょっとした話題になった。日本人の排外主義は甚だしいと憤った人もいた。が、実際には日本の飲食店には英語を喋れる店員が少なく、海外発行のクレジットカードやデビッドカードが使えないから、会計時に揉め事になるとややこしいと思った飲食店主たちが「Japanese Only」の札を掲げていた。という日本側の理由が説明されると、なんとなく辺境の国ふしぎ話になって終わった。

が、今回の「Japanese Only」はちょっと違う。そもそも、Jリーグなんてのは、発足当時を知るばばあから言わせてもらえば「Japanese Only」だったら成立しなかったのだ。ジーコやリトバルスキー、「日本で何もせずに大金を稼いできた」と今でも本国でジョークのネタにされているリネカーなど、著名な外国人選手が来たからこそ客が入るビジネスとして成立するようになったのだ。それがいつの間にか「Japanese Only」の横断幕がかかるようになったとは、なかなか感慨深いものがある。

「ブライトンの柔道教室に『English Only』って書いた札を下げてるようなもんだよな」

フットボールの母国イングランドのある男性はそう言って笑った。

とは言え、ある国に余所者が入ってくると排外的リアクションが出るのは当然だ。が、昨今のUKでは、排外ではなく、排内主義の問題が深刻化している。

＊

隣家の息子が失業保険を打ち切られてやむなく社会復帰を果たし、たいへん非人道的な会社に入った。というのは以前も書いた話だ。

「おめえの会社、ヒューマンライツはどうなってんの?」

隣家の息子が仕事の話をするたびにうちの連合いはそう言うが、「仕事があるだけでもありがたいと思え」な時代に、溺れる若者が摑むのは人権の藁ではない。

「だって、ヒューマンライツじゃ食えないもん」

暗い目をしてため息をつく隣家の息子は、最近、気になることを言い出した。

「俺、UKIP支持に回るかも」

UKIP（英国独立党）とは、ゴリゴリの右翼政党である。が、この政党が不気味に支持を伸ばしているため、保守党政権が著しく右に傾いているとも言われている。「アンチ移民」ポリシーを掲げるUKIPに隣家の息子が共感しているというのは、十代の頃から彼を知っている移民の隣人としては聞き捨てならない。

彼が最近、ポーランド人の同僚たちに不満を感じているのは知っていた。彼やうちの連合いが働いているダンプの運ちゃん業界でも、近年は外国人労働者の台頭が著しい。公営住宅地で育った隣家の息子がUKIPに走るのはよくあるルートだ。が、しかし彼の場合は、わたしと酒を飲みながら折り紙を折ったり、柿ピーとおにぎりせんべいのうまさについて熱く語り合ったりして、異人や異文化にはオープンだった筈である。

「外国人の同僚が増えると、中にはムカつく奴もいるだろうから、PCなことばかりは言ってられないだろうけど」

わたしが言うと、隣家の息子は言った。

「っていうか、雇用主が英国人を切って外国人を雇うのがムカつく」

話を聞いてみれば、平素から上司に対して「これは雇用法違反ではないか」みたいなことを言うタイプの英国人青年が、業務上の些細なミステイクを理由に解雇され、代わりにポーランド人労働者たち（みんな身内らしい）が連れて来た運転手が雇用されたという。

「あいつら、ファミリー&フレンズのグループでがーっと来て、違法だろうが滅茶苦茶な時給だろうが黙って働くんだよ。そら雇用主にとっては一番便利だよね。で、あいつらはみんなで一時的に家を借りて雑魚寝してて、金を貯めたら国に帰るからいいだろうけど、彼らと同じ時給じゃ、英国人が英国で生活していけない」

過重労働でめっきり痩せて老け込んだ隣家の息子はいう。

たしかに、映画『This Is England』の時代の移民と、現代の出稼ぎ移民とは、異なる性質のものだ。EUのおかげで自由に行き来できるようになった移民には、昔のように「この国で生きる」みたいな決意はない。どれだけ時給が安かろうと、それが自国でそれなりの収入になれば、がんがん働いて国に帰るだけだ。「英国で生きる」どころか、現代の移民の多くは「こんなに物価が高くて治安の悪い国に根を下ろすのはまっぴらご免だ」とさえ考えており、その構図はさながら田舎ののんびりした場所に家を持ちながら、都会に通勤する人びとにも似ている。

サッチャーが製造業を破壊する前、全国各地の工場は労働者階級の人びとの職場だった。で、九〇年代にそれに代わる新ワーキングクラスの職場と言われたのはコールセンターだった。しかしコールセンターも今ではインドなどの人件費の安い国（先日、PCが壊れてメーカーに電話したら、マジでエジプトに繋がれた）に拠点を移している。それに加え、国内に残された仕事までも外国人たちに占領されたら、英国のワーキングクラス民には働く場所がなくなる。

「英国人の若者は下層の仕事はしたがらない」というのは一昔前の話で、失業保険や生活保護打ち切りの時代には、彼らは社会復帰しようとしている。しなきゃ食えないからだ。そんな切羽詰った貧民たちと外国人労働者が競争して下層職を取り合えば、時給はどんどん下がる+待遇は悪くなるの一方で、これが「インディヴィジュアルの競争に任せる」キャピタリズムの有り様ならば、この競争に勝てる者は「黙って雇用主に蹂躙されることができる者」ということになる。市場競争の掟とは「コストを下げ、利潤を上げる」ことだが、人件費というコストは有機物だ。そこには労働を提供する人間の命や生活がかかってくる。

英国の人件費を押し下げている外国人と、賃金が下がって貧困している英国人労働者。

UKIPが支持を伸ばすのも道理だが、問題の本質は、下層で低賃金の仕事を取り合っている外国人と英国人の衝突ではなく、非人道的なまでに人件費コストを抑えて競争に勝とうとしている上層のキャピタリスト魂だろう。

＊

Obscenely Richという表現が英語にはある。

Obscenelyをマニュアルどおりに「不愉快なほど」と訳せばどうということはない表現だが、Obsceneは本来、「猥褻」を意味する。「淫らなほど金持ち」とは日本語では言わないので、何処から来た表現なんだろうと考えていた。

「ソーシャリズムの発端はキリスト教の誕生まで遡る」と言った学者の話は以前も書いたが、実際、新約聖書の時代と現代社会は似ている。貧困者や病人、障碍者が切り捨てられ、「神の怒りに触れた者たち」と見殺しにされた社会と、敗者が切り捨てられ、「自己責任」というキャピタリズム信仰のもとに見殺しにされている現代。世の中は、二千年の時を隔てても相変わらず野蛮だ。

「それじゃいかん」と反旗を翻したダイハードなソーシャリストがキリスト（実際、聖書を読むと彼はしょっちゅうキレている）であり、彼の種々の言葉が西洋思想のベースにあるとすれば、「淫らなほど金持ち」という表現の出所はそこら辺なのかとも思う。

英国では、社会がキャピタリズムに傾き過ぎると、必ず反対側に戻そうとする動きが出て来るそうだが、それも「Obscenely Rich」という表現を現代まで絶やすことなく使い続けてきた文化を持つ国だからなのかもしれない。

ハッピー・マンデーズのベズが来年の総選挙への出馬を表明した。労働党候補として出馬する彼は、富の再配分を公約に掲げている。彼が出馬するサルフォードは、英国でもっとも家庭の貧困率の高いマンチェスターでもとくに貧しい子どもが多い地域だ。

最近、やたらとこういう話を耳にするようになってきた。

何かの兆しのようなものが、ほのかに表出をはじめたのかもしれない。

＊

さて、日本は？

（初出：web ele-king Mar 27, 2014）

移民ポルノ

四月前半は日本に帰省していた。

中国方面から飛来するというPM2.5の影響で、霧深い英国かと見まがうほど白く煙った福岡の街はなんとも不気味だった。大気を舞う微小粒子物質のため、まったく遠くの山が見えない。晴れているのに空が青くない。というのは、灰色の空の国に住む人間からしても気色が悪い。免疫のない人間はてきめんにやられるのだろう。咳が止まらない&偏頭痛で体調が悪いので早く英国に帰りたかったというのは今回が初めてだ。

近所のてんぷら屋で飲んでいて反中思想のおっさんに絡まれた時にも、歴史やモラル、マナーといったようなことを云々と並べておられたが、ほんなことを延々と愚図るより、今の福岡なら「中国はPM2.5を飛来させやがるので嫌いだ」と言ったほうがよっぽど切実である。

「いやー、けど日本だって高度成長期にはいろいろ飛ばしてたんだろうし」

と言うと、酔ったおっさんは言った。

「いや、日本の場合は風向きが逆やから、すべて太平洋のほうに飛んでいた」

「じゃあそれ、日本はラッキーだったってだけの話ですよね」

するとおっさんは急にきりっとした顔になって言った。

「アホか。ラッキーやったのは中国じゃ」

＊

「Benefits Street」が記録的な高視聴率を獲得したせいで、C4は「Immigrants Street」というスピンオフ番組の制作を企画しているらしい。

今年放映された「Benefits Street」は、バーミンガムの無職者の多いストリートの住人の暮らしを追ったものだったが、スピンオフ番組のほうはサザンプトンにある移民が多いストリートを撮るつもりだという。が、「貧困ポルノ」とも呼ばれた「Benefits Street」への過剰なまでの世間の反応を懸念し、地域の政治家やコミュニティー指導者がすでに反対運動をはじめているらしい。

「Benefits Street」の製作会社が移民に焦点を絞ったスピンオフ番組を思いついた理由は、「Benefits Street」で取り上げた移民のエピソードが話題になったからだという。通りに住むほぼ全員が生活保護受給者という環境のなかで、生活保護を貰う資格のないルーマニア人移民の家庭が、貧窮しながらも働いて食べて行こうとする姿は、唯一あの番組の出演者への同情的な論調を引き出したのだった。

とはいえ、この移民の描写も「ルーマニア人家族がサヨクたちを泣かせている」と書いた保守系タブロイドを筆頭に、大いなるバックラッシュも受けた。実際にわたしも近所のパブで、「英国人は怠けていて、外国人だけが働いているような番組を作りやがって」と憤っていた生活保護受給者のおばはんを目撃したこともある。

実際、この国には移民の生活保護受給者だって少なくない。この国に来ればNHSが無料で子どもを産ませてくれるし、複数の子どものいる家庭が困窮していれば政府が家を提供し、養ってくれるということを知って、福祉の手厚さに安心して入国してきた移民もまったくいないとは言えない。

「Benefits Street」の製作会社は同番組を放送することについて、「これまでテレビに映されることがなかった世界にカメラを持ち込んだ点で重要な映像」と主張したが、さすがに同番組もブロークン・イミグランツの世界だけは見せることはしなかった。あくまでも「Benefits Street」に住む外国人は、貧しい働き者でなければならなかったのだ。政府に食べさせてもらいながら酒を飲んだり、薄型テレビを持っている英国人の姿ですら英国人たちを激怒させたのである。あれが外国人だったとしたら、間違いなく血を見る騒ぎになっていただろう。

とは言え、アンダークラスの移民の暮らしにも政府の緊縮政策は深刻な影を落としている。今春から訪問サービスをはじめた底辺託児所に勤めるイラン人の友人は、そうした家庭を多く巡回しているようだが、「この仕事をしていてこれほど気が滅入るのは初めて」と言う。以前からアンダークラス移民の貧しさは明らかだったが、彼らの家を訪れるとそのデスパレートさが見えて暗い気分になるらしい。

「あれは発展途上国の住環境じゃない。大人だけならまあいいけど、小さい子どもがいるとやりきれなくなる」

「Benefits Street」では、貧民街に住む外国人の多くが、アンダークラスの英国人とは対照的な存在として描かれていた。「アフリカでは働かない人間は死ぬしかない。この国の人びとはおかしい」と言いながら屑拾いの仕事をしているアフロカリビアン系移民や、一日八時間働けば四〇ポンド貰えると騙されて農場の仕事に雇われ、十七時間働いても一〇ポンドしか貰えず、ガスも電気も止められたルーマニア人家庭。そうした同じストリートの移民たちを蔑みながら昼間から街角にたむろってビールを飲んだり、ブランド店に万引きに行ったりしている英国人生活保護受給者の姿。

たしかにこの国に来て日の浅い移民には、当然のように政府に養ってもらっているアンダークラス民の姿は異様に見えるし、「あれはおかしい」という反感をおぼえる。しかし、こうした移民だって長く生活していれば変わることもある。貧しい街に暮らしていれば、生活保護を貰うことが別に特殊なことではなく、お隣もお向かいも、裏の家もみんなそう。みたいなノームになって来て、もはやそういうことが異様に見えた頃の違和感は消失し、アンダークラスになる人たちもいる。

「政府にお金を貰って生きて来た外国人たちが、いきなり『働け』って言われても、これまで外で働いたことがないから英語はできないし、もう本当に何をどうしていいかわからなくなってる。ストレスでお乳も出なくなってるから赤ん坊がぎゃんぎゃん泣いているし、上の子たちは寒い日に下着同然の姿だし、本当にこの国の一部は経済制裁下のイランよりひどいんじゃないかと思う」

イラン人の友人はため息をつく。

「政治にもっとも翻弄されるのは最下層の国民だけど、UKの場合は、下層国民の下に生活保護受給者の移民がいる。彼らは情報網の外にいるから、フードバンクがどこにあるとか、どうやって申し込めばいいとかいうことも全然知らない。子供に食べさせるために自分は一日一食しか食べてないとか言ってただじっと家に座っている」

と彼女が言うような移民アンダークラス家庭の実態も「Immigrants Street」は見せるのだろうか。見せるとすれば、今度は「貧困ポルノ」ではなく「移民ポルノ」と呼ばれることになるのだろうか。

「この国はもう、You get what you deserve（自業自得）では済まされない社会になっている」

イラン人の友人は言った。

「そこで止まってたら、そこから先に進もうとしなければ、どうしようもない」

「You get what you deserve」という友人の言葉を聞いて、わたしはサッチャーを思い出していた。それは彼女のフィロソフィーそのものだと思ったからだ。

個人がその能力や努力によってdeserveする報酬を得る。能力がない人や努力しない人はそれにdeserveする貧困に落ちる。deserve（ふさわしいものを得る）。を非人道的なまでに徹底させた世界がサッチャーの目指したキャピタリズムだった。

が、そこで矛盾していたのは、彼女は経済転換を成し遂げるために大量の失業者（ベネフィット生活者）を生み出したということである。勤労していないから全くdeserveしない筈の生活費を国から貰って生きるという、「You get what you deserve」の法則に真っ向から反する人間たちの層を誕生させたのである。

今思えば、それは彼女が国家改革をデザインする時点で、この層はすでに切り捨てられていたからだろう。アンダークラスとは、キャピタリズムの犠牲者ではない。最初からキャピタリズムに参加させてもらえなかった層なのだ。

そう考えると、この国のアンダークラス移民は、キャピタリズムの枠組から毀れているうえに外国人であるという、いわば二重に社会から排除された場所に自らを追い込んでいたことになる。

ＵＫの福祉制度は、ちょろいだけではなく、おそろしいものでもあったのだ。

「少なくとも現在のひとりひとりの暮らしぶりを見れば、彼らがラッキーだったなんて言う人はいないと思う」

と友人は言った。

＊

その日、カフェの窓の外には蛍光イエローの上着を着た警官たちがうろついていた。ブライトンの街の中心部で、聖ジョージの日に毎年行われている極右デモが行われていたのである。

「私らのような移民はあんまりうろうろしないほうがいいね、今日は」

イラン人の友人はコーヒーを飲みながらそう言って笑った。

デモから離れたのかこれから参加しに行くのか、大判の聖ジョージ旗を腰に巻いた上半身裸のスキンヘッドが通りを渡って行くのが見えた。血気盛んなことである。本日の気温は摂氏十一度なのに。

それを追うように、真っ黒なフードを頭に被ったアンチ・ファシストの青年たちが雨上がりの舗道を急ぐ。

ブライトンの空はＰＭ2.5で慍った福岡の空と同じ色をしていた。

（初出：web ele-king May 01, 2014）

ウヨクとモリッシーとサヨク

「俺、ＵＫＩＰ支持に回るかも」

と隣家の息子が漏らしていたというのは数か月前に書いた話だ。

リベラルでお洒落なゲイ街にはレインボウ・フラッグがはためいているが、貧民街の家々には聖ジョージの旗が掲げてあり、それはまるで、もはや「自分はイングリッシュである」ということしか誇るものがなくなったホワイト・トラッシュと呼ばれる人びとの最後の砦のようだ。と書いたのは二〇一二年の話だ。

つまり、ずっと前から予感はあった。

五月二十三日のＥＵ議会選（地方選とセットで行われた地域もある。ブライトンはＥＵ議会選オンリーだった）が近づくと、それは一気に明らかになった。貧民街の家々の窓に右翼政党「ＵＫＩＰ」支持のステッカーが貼られ始めたのだ。だいたい貧民街では選挙前に政党のステッカーを貼ってる人なんていなかった。ミドルクラスなエリアに行くと緑の党や労働党のステッカーが貼られていて、玄関先にフラワーバスケットが下がっているようなお宅に保守党のステッカーが貼ってある。というのが通常の選挙前の光景だった筈だ。

しかも、品のない貧民街となると窓にステッカーを貼るぐらいじゃ収まらないから、「UKIP」の巨大な落書きがフェンスや外壁に出現し、民家の窓に国旗まで掲揚され始めた。あれ、W杯って五月に始まるんだっけ？　と思ったほどである。

そしてとどめは、「EU議会選はUKIPに投票する」と言い出した連合いだった。うちはそれで離婚問題に発展しそうになった。

異様な、実に面妖な夏の始まりである。

＊

「政界に起きた地震」

今回の地方選&EU議会選はそうメディアに表現された。アンチEU、アンチ移民の右翼政党UKIPがまさかの大躍進を遂げたのである。「英国は四大政党の時代に突入する」と表現している新聞さえある。

第三政党の自由民主党（ブライアン・イーノがサポートしてきた党だが、保守党と連立を組んだ時点で撃沈した）が壊滅的に議席数を減らし、UKIPがそれに取って代わる勢いで票を伸ばした。排外主義の右翼政党が「大政党」の一つになりそうな勢いとは英国もシュールな状況になったものである。

が、なんで今さら排外リヴァイヴァルなのか。英国人は長い時の経過の中で「ま、しゃーないか」と外国人を受け入れ続けて来た筈で、だからこそ日本人のわたしなんかも、毎日子どもたちに絵本なんか読んで聞かせて「先生のLの発音、おかしいー」と指摘されても「いやー、わたし外国人だから。へへへ」「ふふふ」「ははは」とみんなで陽気に笑いながら生きていける社会になったのではないか。

「八〇年代に排外が盛り上がった時とは移民数のケタが違う」

と連合いは言う。

「EU圏内から来る労働者が多すぎ。このままじゃ下層の若者はマジで働けなくなる。サッチャーが地方の製造業をぶっ潰して失業者を大量生産した時は、あいつは失業保険とか生活保護とかをスッと出したんだよ。でも、今は生活保護打ち切りの時代だ。そういう受け皿を取り上げながらどんどん移民を入れるのは、下層民に死ねと言ってるのも同然だ」

連合いの言い分は貧民街の人間たちの声を代弁している。トニー・ブレア以降、労働党が労働者をリプリゼントする党ではなくなってしまったから、労働者たちがUKIP支持に回っている。ずっと左だったのに、いきなり極右にジャンプしている人が結構わたしの周囲にもいるのだ。

実は最近、ちょっとモリッシーについて書いていたのだが、彼も「移民が増えるほど英国のアイデンティティは希薄になる」という発言を『NME』に書かれて揉めたことがある。個人的にはこれは現実的な英国人の感慨だろうと思う（モリッシーの場合、両親はアイルランド人というオチがつくが）し、本当にそう言ったんだろうと思う。彼は猛烈な反王室派でアンチ・キャピタリストなので、今どき何処の共産党の爺さんなんだよというようなガチガチの左翼発言もするが、その一方で“National Front Disco”に代表されるような曲も書いた。「England for English」という歌詞を持つこの曲が、ナショナル・フロントに走る青年について客観的に歌ったものだとしても、悲しい情念に満ちた曲調からはモリッシーがそうした若者にある種のシンパシーを抱いていたことが窺える。

モリッシーのこの左から右に唐突にジャンプする感じはまさに下層民のリアルな姿だ。だからこそ一見すると軟弱な大学生のアイドルのようなモリッシーが下層社会でも熱烈に支持されたのだろう。実はモリッシーも「もうちょっとでUKIPに投票するところだった」と発言したことがあり、（現在どう言うかは不明だが）同党の党首ナイジェル・ファラージを「好きだ」と言ったこともある。

わたしはファラージという人はトリックスターだと思っているので、ただ掻き回して終わるだけだろうと思うが、その掻き回しに英国の下層民が乗っかっているのは、長いあいだ政治が彼らを完全に無視してきたからだ。英国民の右傾化は、政治へのリヴェンジと言ってもいい。

今回の選挙で、ＥＵ議会においてはなんとＵＫＩＰが英国の第一党になった。しかも、ＵＫＩＰに投票した人々の八六％が来年の総選挙でもＵＫＩＰに入れると言っているらしい。政治がいつまでたっても下層の悲鳴を放置し、あまりにも巷の現実と剥離したエリート様ポリティクスを続けているから、国民が短絡的に二本指を突き上げている。英国は、たとえ短期的にせよ、とても良くない方向に向かうかもしれない。

＊

ところで、個人的にもっとも驚いているのは、ＵＫＩＰ問題で人と話をする時に、「ずっと前からこの国にいる移民として、近年になって入って来た移民についてどう思う？」

と尋ねられることだ。どうも英国の人々は、ＥＵ圏から近年になって流れ込んできた移民たちと、それ以前からいた移民とを区別して考えているらしい。

「I'm one of them」

と答えるとそれ以上は何も訊かれなくなるが、ひょっとすると、「そうなんだよねー、あいつらムカつくー」とか言ってぶーたれるのを期待されているのだろうかと思う。移民であるわたしが、どうして移民に対してムカつかねばならないのだ。

だからＵＫＩＰに多くの移民の党員がいるという事実には驚くし、そうした有色人種の党員が「EU圏からの移民を制限するUKIPのポリシーは、EU圏外の地域から来る移民にもっと入国のチャンスを与えることになり、よりフェアな移民の制限に繋がる」と主張している動画を見た時にはもう呆れて大笑いした。

それはバングラ系移民二世のお嬢さんのようだった。しかし、彼女の両親はその「EU圏外の地域」からやって来て、この国に受け入れてもらい、働く機会を得て生きてきたのではないか。先に入ったからと言って、後から入って来る者に「来るな」というのは、玩具をシェアすることを知らない幼児みたいだし、「私と同じ地域からの移民はオッケーだけど、それ以外の移民はダメ」というコンセプトをレイシズムと呼ばずして何と呼ぼう。

UKIPがその辺の旧移民の新移民に対する意識も利用し、取り込もうとしていると思うとなんとも恐ろしいが、逆に言えばUKIPなんてその程度だ。ちょっと考えると欺瞞だらけの理念には、人は長期的に心を奪われることはない。せいぜい短期間のリヴェンジに使われる程度だ。

＊

「〝フェア〟な移民制限や〝レイシストでない〟移民制限などない。我々は移民制限に反対する。我々は、我々の出自や、我々またはその親が何処の国で生まれたかということや、肌の色、何語を喋るかということで人間の存在を非合法にする全ての法律に反対する」

ケン・ローチの政党レフト・ユニティのポリシーにはシンプルにそう書かれている。移民を一切制限するな。とは、このご時世にアナキーどころかクレイジーだ。が、このポリシーの後半部分には、移民として十八年生きて来たわたしには打たれるものがある。

政治というものは、本来、この「打たれるもの」がコアにあるべきではないのか。それは古い言葉で言えば「思想」でもいいし、「社会は、そして人間はこうあったほうがクールだ」という個人的な美意識でもいい。

「弱者が可哀そう」とかいうヒューマニズムばかり強調しているから左翼はダメになったという定説がある。が、わたしは全くそうは思わない。寧ろ真逆で、誰もポリシーの根本にある揺るがぬもの、妥協など入る余地のない美意識を語らなくなったから政治は人を動かすことができなくなったのだ。

ＵＫのみならず欧州全体が右傾化しているのは、人々がそうした妥協しない何かを右翼の中に見たような気になっているからかもしれない。


（初出：web ele-king Jun 02, 2014）

ヤジとDVとジョン・レノン

先日、通勤バスの中で新聞を広げていると祖国の話題が出ていた。東京都議会で女性議員に対して性差別的なヤジが飛び、国内で大きな話題になっているという。『ガーディアン』紙のその記事は、日本が男女平等指数ランキングで常に下位にランクされている国であることを指摘し、ジェンダー問題の後進国だと書いていた。まあ、ありがちな「東洋は遅れてる」目線の批判的な内容である。

こういう記事が出ると、「女性が強い英国では絶対にあり得ない」「アンビリーバブル」みたいなことを英国在住日本人の皆さんがまた盛んに言い出すんだろうな。と思った。わたしも十年前ならそう思っていた。

が、今はそうは思わない。

＊

BBC3で『Murdered By My Boyfriend』というドラマが放送されてちょっとした話題になった。「恋人に殺された」というタイトルの当該ドラマは、パートナーの青年にDVを受け続けて最後には亡くなってしまった若い女性の実話をドラマ化したものだ。

十七歳で同年代の青年に出会い、すぐに妊娠して子供を産んだ少女が、嫉妬深くて幼稚なパートナーから家庭内で暴行され続け、四年後には殴り殺されていた。というストーリーは、英国のある階級では「あり得ない」話ではない。英国内務省が二〇一一年に発表した資料によれば、英国でもっともドメスティック・ヴァイオレンスの被害に遭っているのは十六歳から二十四歳までの女性だそうだ。このドラマのモデルになった事件では、恋人を殺した青年は、生活保護受給者でありながら血統犬のブリーダーをやって不法に収入を得ていた貧民街の男だった。

例えば、ブライトンの病院やチルドレンズセンター（地方自治体運営の子どもと親のためのサポートセンター）などのトイレに入ると、個室の内側にA4サイズのナショナルDVヘルプラインのポスターが貼られている。

「あなたはドメスティック・ヴァイオレンスの被害者ですか？　虐待されている女性を知っていますか？」

というスローガンと共に、幼児の手を引く若い女性の後ろ姿の写真が印刷されている。まさに『Murdered By My Boyfriend』のストーリーみたいなポスターだが、そうしたイメージが使われているということは、やはりDVの被害者には子持ちの若い女性が多いということだろう。

英国における若きシングルマザーの数の多さはこれまでブログ（&拙著）で何度も書いてきた。日本では、「出来たら堕胎」というのがティーン女子の一般的対処法だったと記憶しているが、英国の場合は、何故か産む。といっても、わたしはミドルクラスから上の人の生活様式は知らないので、労働者階級だけの話かもしれない。が、わたしの知っている世界では、十代の女の子たちは堕胎より出産を選ぶ。

それは先の労働党政権がシングルマザーに優しい福祉制度を確立したせいもある。ぶっちゃけ、無職者に子供がいれば、すぐ役所から家をあてがわれ、生活保護も貰えるという時代が長く続いたので、下層社会の女子には、就職や進学しない代わりに子を産んで生活保護受給者になるというライフスタイルのチョイスが存在したのである。

キャリアを持つ女性たちが子供を産まなくなった代わりに、十代で妊娠したシングルマザーたちが生活保護を受けながら続々と子を産み続けて行く様は、この国では階級による女たちの分業がはっきりと出来上がっているようにも見えた。ミドルクラスの女たちは外で働き、下層の女たちは生活保護を貰いながら子供を産み増やす。実際、シングルマザーへの優遇は人口の老齢化に歯止めをかけるための国家戦略だったのではないかとさえ思えてくる。UKでは二〇一一年に一九七二年以来最高の新生児出生数が記録され、過去四十年間で最高のベビーブーム到来と騒がれたが、ヨーロッパでそんな報道があったのはこの国ぐらいのものだろう。

英国の女は強い。というイメージが、マーガレット・サッチャーに代表される上層の働く女から来ているのは間違いない。確かにあの階級の女たちは、時代錯誤なセクシスト発言でも受けようもんなら言った男を完膚なきまでに叩き潰すだろうし、彼女たちが肩パッドで武装して戦って来た歴史があるからこそ、英国の上層の男たちは滅多なことは言えないのだ。

が、同じ英国でも、下層の世界はまるで違う。

下層社会には、家庭で「ビッチ」、「雌牛」、「淫乱女」と呼ばれて殴ったり蹴ったりされている女たちもいる。底辺託児所に勤めていた頃、顔に傷のあるアンダークラスの女たちを何人も見た。裏庭で恋人に蹴りを入れられている女性も見たことがある。彼女たちの子供は、そんな母親の姿を見ながら育つ。子供のために良くないとわかっていながら、早くこんな生活は清算しなければと思いながらも、彼女たちはいつも顔に傷を負っていた。そして彼女らの子供たちは成長し、母親を殴った男たちと同じことを自分の女にするようになる。その、乾いた現実の反復。

いったいぜんたい、ここはほんとうに女が強い国なのだろうか。

*

以前、職場で顔に青痣をつくって出勤してきた若い保育士がいた。目の下のあたりが広域に青くなっている。寝ぼけて階段から落ちて手すりに顔をぶつけたと言っていた。彼女は二十歳のシングルマザーで、同世代の恋人と同棲している。

一見してぎょっとするような青痣だったので、彼女はオフィスに呼ばれた。保護者たちの反応を心配して、マネージャーが当惑しているようだった。

十分ほどして、彼女は憤然としてオフィスから戻って来た。

「しばらく自宅待機しないかって言われた。痣がひどくて子供たちが怖がるかもしれないから、もう帰れって」

「……それって、有給の自宅待機だよね、もちろん」

「ノー。自分の有給休暇を使って休めって言われた」

「違法でしょ、それ」

「うん。だから帰らない。働く」

彼女はそう言ってプレイルームに玩具を並べ始めた。

その日、子供を預けに来たミドルクラスの母親たちが彼女の痣を見た時の表情は忘れられない。明らかに誰もがDVによるものだと思っている様子で、ハッと驚いてから憐れみを示す表情になる人もいたが、「こんな人間に子供を預けて大丈夫だろうか」という不安を顔に出す人、あからさまに嫌悪感を示す人もいた。

医師やプレップ・スクールの教師といった高学歴の働く女たちの「顔に青痣のある

女はうちの子には触らないでほしい」的なリアクションは、ある意味、日本の都議会で飛んだヤジぐらいあからさまで野卑だった。

＊

ジョン・レノンが「一番嫌いなビートルズの曲」と言った歌がある。

「他の男と一緒にいられるぐらいなら／死んでくれたほうがまし／用心したほうがいい／俺は分別がなくなるから」

『Run For Your Life』は、英国では今でもDVを連想させる曲として語られる。レノンは、この曲の歌詞はプレスリーの『Baby Let's Play House』にインスパイアされたものだと言った。

が、晩年には「書いたことをもっとも後悔している曲」とも発言している。亡くなる数年前、彼は最初の妻を殴っていたことを暗に認めるような発言をした。『プレイボーイ』誌のインタヴューでこう言ったのである。

「僕は自分の女に対して残酷だったことがある。肉体的な意味で、どんな女性に対しても。僕は殴る人間だった。自分を表現することができないと殴った。男とは喧嘩し、女は殴った」

英国には「強い女とジェントルメン」の構図とは全く別の世界が存在している。その世界は上のほうが先に進めば進むほど後方に取り残されて行く。格差が広がれば広がるほど、進んだ世界と遅れた世界のギャップは大きくなる。

警察の発表によると、二〇一三年第4四半期でDVの件数は一五・五％増えたそうだ。

（初出：web ele-king Jun 30, 2014）

女の一生とカップ・オブ・ティー

　仕事帰りにバス停に立っていると、見覚えのある中年女性が車椅子に乗っていた。車椅子を押しているのは、いつの時代の少女だよ。と思うような格好をしたティーン。バレエのチュチュを鋏でギタギタに切ったものがスカート代わりで、上半身には自分で描いたらしいニナ・ハーゲンの似顔絵のTシャツ。いや、おばはんも極東国で十六歳の頃まったく同じ格好をしてましたよ。と目を細めつつそのペアを見ていると、先方もこちらをじっと見ている。

「あなたは慈善施設の託児所でわたしの面倒を見ていたことがありますね」と、ニナ（・ハーゲンのTシャツの子）が言った。

「あ。そうだと思う。いっやー、大きくなったね。I love your T-shrit!」とわたしが言うと、車椅子に乗った女性が「おおおおおお」と鈍い低音で笑う。

　顔の半分はうまく笑えていない。麻痺しているように見えた。

「母は具合が悪いんです」とニナは言った。

わたしはようやく彼女たちが誰なのか思い出していた。

＊

トレイシー・ソーンが雑誌にヴィヴ・アルバータインの自伝の書評を書いていた。ヴィヴ・アルバータインとは、女子パンクのパイオニア、ザ・スリッツでギターを務めていた人だ。

一九七六年、二十一歳のときにヴィヴは祖母の遺産分けで貰った二〇〇ポンドでギターを買う。「ディオンヌ・ワーウィックのレコードをぶった切っているようなギターの音を出したかった」そうだ。ヴィヴは、ミック・ジョーンズの恋人で、シド・ヴィシャスの親友だった。そしてそのギターを抱えてアリ・アップ、テッサ・ポリット、パルモリヴのザ・スリッツに加わる。

『服、服、服、ミュージック、ミュージック、ミュージック、ボーイズ、ボーイズ、ボーイズ』というのが自伝の題名だが、これはヴィヴの母親が当時の娘を表現した言葉だったらしい。この題名だけ聞けばロンドン・パンクの青春回顧録かと思う。たしかに前半はそうだ。が、後半は世界が一変する。ザ・スリッツ解散後のヴィヴの人生は、リアリティという重い鉛の玉を足首に巻かれてゆっくりと沈んでいくようだ。中絶、流産、ＩＶＦ（体外受精）、子宮頸癌。と進む後半部からは、女の赤黒い血の匂いがする。エアロビの先生になったり、映画製作者になったりするが、キャリアもパッとせず、男たちは彼女を失望させる。「ほとんどの自伝は（そしてほとんどの人生は）前半のほうが楽しい」とトレイシー・ソーンも評している通り。

＊

車椅子に乗っていたのはKだった。

底辺生活者サポート施設にいたアンダークラスのアナキストの一人。高学歴のお嬢様が道を踏み外し、恋人たちの子供を産み続けているうちに階級を這い上がって行けなったタイプのシングルマザーだった。子供は四人か五人いたと思う。みんな普通なら学校に行く年齢だった。普通なら、というのは、彼女もアナキストなので政府の出先である学校など信じておらず、ホーム・エデュケーションを行っていたからだ。が、そのホーム・エデュケーションがまともに行われていないとして、福祉が介入してきた。ニナ（・ハーゲンのTシャツの子）は、当時十歳ぐらいだったと思う。妹や弟の手を引いて、底辺託児所に来ていた。彼らは全員フォスターファミリーに預けられる方向で話が進んでいた。

が、Kは土俵際で鮮やかなうっちゃりをかました。

お洒落なミドルクラスの親たちが子女を通わすことで有名な私立校、シュタイナー・スクールの校長に自らの状況を話し、「自分が無報酬で教員アシスタントとして働くから、子供たちを学費無料で学校に受け入れてくれ」と直訴して、それが受け入れられたのである。

アナキストな母親たちはシュタイナー校にはこっそり憧れていることが多かった。所謂オルタナティヴ教育と呼ばれるシュタイナー・メソッドは、芸術に重きを置く点や、エコっぽい点でも彼女たちの趣味趣向に合致する。「金持ちだったらシュタイナーに子供を通わす」と言っていたアナキストを何人も知っている。

ホーム・エデュケーションが理由で子供を取り上げられそうになったKは、子供を学校に通わせねばならなかった。だから自分が子供を通わせたい唯一の学校に背水の陣で乗り込んで行ったのである。

「高学歴の人はいいね」「コネだろ」という子持ちアナキストたちの羨望を尻目に、Kと子供たちは一緒にシュタイナーに通い始めた。ソーシャルワーカーも、シュタイナー校に子供たちが通い始めたとなると文句は言えない。K一家の話は、底辺サポート施設関係者で一番のサクセス・ストーリーだった。英国というのは、普通はあり得ない話が現実になる国だとわたしも感心したのを覚えている。

そのKが、四年後には車椅子に乗っていた。

顔だけでなく、体半分が麻痺しているようだ。脳卒中か何かの後遺症にも見えた。

ニナ（・ハーゲンのTシャツの子）が、汗で額に張り付いた母親の前髪をかき上げると、Kは顔を緊張させ、ふわりと歪める。

それは不快そうにも嬉しそうにも、もうどうでもいいようにも見えた。

＊

ヴィヴは子宮頸癌にかかったが、アリ・アップも乳癌という女の癌にかかった。が、ラスタファリアンだったアリは一切の治療を拒否して四十八歳で他界する。

一方、癌治療で生き残ったヴィヴは、再びギターを弾き始める。「過去の栄光を台無しにするのはやめろ」と言った夫と別れ、ミドルクラスの主婦という椅子から立ち上がり、五十七歳で初のソロアルバムを発表する。

「ヴィヴはサヴァイヴするというヴァイヴァーだ」とトレイシー・ソーンは書く。が、サヴァイヴするということは必ずしも幸運なことではない。

生き残ったら、また生きて行かねばならないからだ。

七〇年代のパンク・ガールズは往来でよくウヨクに襲われたそうだ。実際、アリは娼婦のような格好をしているとして道端で何回も刺されている。

それは危険でも楽しい時代だったそうだ。衝突は狂熱を生む。が、狂熱はそう長くは続かない。それじゃ寂しいってんで、ずっと衝突を探して拳を上げ続ける人もいる。

が、時代の流れに任せて淡々とした日常にまみれる人もいる。

「自伝を読んでヴィヴを称賛する気にはならない。一緒に座って紅茶が飲みたくなる」

トレイシー・ソーンはそう書いている。

サヴァイヴするということは、闘争やファンファーレじゃない。一杯のカップ・オブ・ティーなのだ。

＊

バスが停車すると、ニナ（・ハーゲンのTシャツの子）は慣れた手つきで昇降口から車椅子用スロープを下ろした。

Kはわたしのほうを見て、「がっらー」と言った。ように聞こえた。

意味不明だったが、呼びかけに応えて「See you. God bless」と言おうとして、なんとなく後半部分は言うのをやめた。

そしてわたしも別のバスに乗り込み、座席に座ってから、ふと、「がっらー」ってのは「Good luck」だったのだろうか。と思った。

「Good luck」

「God bless」

と普通に続けとけば良かったと思った。
サヴァイヴするのは必ずしも幸運なことではない。
だからこそ、別れ際に交わす挨拶は幸運を祈る言葉なのかもしれない。

（初出：web ele-king Aug 04, 2014）

シャンパンと糞尿（スリーフォード・モッズに寄せて）

「なぜ革命について語るのがミュージシャンではなく、コメディアンになったのか」という見出しが『ガーディアン』紙に出ていた。

「レヴォリューション」という言葉を今年の英国の流行語にしたのはコメディアンのラッセル・ブランドだ。

当該記事の主旨はこうである。

「緊縮財政で庶民の怒りが頂点に達している時に、その声を代弁しているミュージシャンがいない。伝統的にその役割を果たしてきたのは音楽界のアイコンだったのに、現代ではそれがコメディアンになっている。何故なのだろう？」

ほおーん。と思った。

音楽界にも緊縮財政への疑念を表明している人びとはいるからだ。

福祉削減になると人びとが匂い出す場所じゃ　人は臭い

（“McFlurry”）

二〇一四年のUKヒットチャートに入っているアーティストの八〇％以上は私立校出身の富裕層の子女だそうだ（八〇年代はわずか一〇％だったという）。大学や専門学校に進む（つまり、日々の労働に煩わされずに、音楽を作る暇を確保できる）下層の若者の数は、昔は現代よりずっと多かった。大学授業料は無料だったし、奨学金も充実していた。一方、自らの意志でドロップアウトした若者たちは、スクワッティングしてパンクになったり、諸国を放浪してヒッピーになったりして反逆の音楽を作った。牧歌的な時代だったのである。

が、新自由主義が英国の下層の風景を根本から変えた。政府は「UKロックのふるさと」と言われた公営住宅地を投資家に売却して「ふるさと」面積を縮小し、労働者階級の若者たちは「出世orドロップアウト」の選択肢を持たないアンダークラス民になった。

現代のUKのアーティストたちは、子供の頃から音楽教室やステージ・スクールに通っていた若者ばかりだ。つまり親が子供に投資できる資本を持っていなければスターは育たない時代になったのだ（これは近年のサッカー界でも言われていることである）。

さらに、大卒が大前提で最初はインターンという立場で働かされるレコード会社のA&R部門も、働かなくても親に食わせて貰える階級の若者たちの職場である。つまり、現代の大衆音楽の送り手は一部の特権階級の人びとであり、大衆音楽はもはや大衆のものではなくなったのだ。

おいおい待てよ　糞ホワイトカラーのシングアロングかい

（"Donkey"）

『ガーディアン』紙は、新自由主義が人間の心理にもたらす影響も分析している。九時から五時まで働いていた時代には退屈していた人間も、個人主義の時代には常に不安を抱えるようになった。新自由主義が作り出した不安と恐れのカルチャーは社会全体をシニカルにしてしまったという。シニシズムとは、不安を覆い隠すためのディフェンスのメカニズムだ。何かを真剣に主張して、恥をかいたり、負けるのが怖いから、人は斜に構える。そうしたシニシズムがデフォルト（標準仕様）になっている社会では、ミュージシャンよりコメディアンが有利だ。「たぶんジョークなのだろう」と思えるポリティカル・メッセージなら、人びとは安心して受け入れられるのだという（音楽界でも四十年近く前には、セックス・ピストルズというバンドがそこら辺はうまくやっていたが)。

歴史は繰り返す。ＢＢＣ２のように。

（注：ＢＢＣ２はゴールデンアワーでも再放送を流しているチャンネルとして有名）

（"The Corgi"）

過日。ニュースで大学授業料反対のデモ行進の映像を見ていたら、ラッセル・ブランドの写真や本を抱えて歩いている学生が何人もいた。

「投票ってのは、『こっちの政党より、こっちの政党の方がちょっとだけ邪悪じゃないから』という理由でするもんじゃないだろう。政党は俺たちを舐めている。投票をサボタージュしろ。投資家たちのゲームで法外な額になっている家賃も、大学の授業料も払うな。システムを麻痺させろ。レヴォリューションを起こすんだ」

というラッセル・ブランドの発言をジョン・ライドンはこう評した。

「選挙権は俺らに与えられた唯一のパワーだろ。それを放棄しろってのはアホの骨頂。しかも、普通の地べたの人間は、家賃を滞納すれば河原に段ボール箱の家を作って住むことになるんだよ。で、あれだろ？　そんなことを言ってる人間は、自分はその河原を窓から見下ろせる高級マンションに住んで言ってんだよな」

ラッセル・ブランドは、保守派新聞『デイリー・メール』などからも「シャンパン社会主義者」と叩かれている。

政府がニュー・エラというロンドン市内の公営団地を米国の投資ファンドに売却し、住民は四倍に跳ね上がる家賃が払えずに退去を迫られている。住民たちの抗議運動に参加したラッセル・ブランドに、あるリポーターがこう質問した。

「ところで、あなたの部屋の家賃はいくらなんですか？」

シニシズムがこじれると、こういう素っ頓狂なことを言う人が出て来る。下層民にしかエスタブリッシュメントと戦う資格がないのなら、おそらく歴史上のいかなる革命も起こらなかっただろう。ゲバラは医学部卒の富裕層だった。労働者にしか反逆の資格がないのなら、パンクだって単なる変わった格好をしたヤンキーの暴れで終わっていたはずだ。

UKの大衆音楽がレヴォリューションについて歌わなくなったのは、発信する側に下層の人間がいなくなったからではない。

シャンパン階級の人びとが、高層マンションの窓から河原の段ボール箱を見おろさなくなったからだ。

*

尿臭がきつ過ぎて
ほとんど良質のベーコンの匂い
ケヴィン[※1]は足のおもむくまま漏れるまま
小便駅の下で
石畳の上に二パイントで昇天
前向きになんてなれるわきゃねえ
ファイナル・カウントダウン　俺のファッキン旅路
ポーランド人[※2]の酒屋の前で起きたら　ソックスの中が糞まみれ
「彼らは気にしねえよ」　あほんだらが脚を見ながら言う
愛の鞭を振るうんだ　大便野郎
ノーマン・コロン[※3]みたいに溜め込んで
巨大な便所クラーケンのように糞の臭みを噴射

（"Tied Up In Nottz"）

※1　ケヴィン・ベーコンとかけたと思われる。
※2　ＥＵ圏からの移民労働者の激増が社会問題となり、右翼政党が勢力を伸ばしているＵＫにあって、現在もっとも酷いレイシズムの対象になっているのはポーランド人と言われて

いる。

※３　ノーマン・コロンが誰なのかは不明。だがＣＯＬＯＮ＝大腸をかけたのは明白。

子供っぽい排泄ギャグのようだが、ＵＫでは下層のビンジ・ドリンキング（大量飲酒）は深刻な社会問題である。このリリックスのような光景は、週末の夜に貧民街に行くと見られる。

糞尿、唾液、吐瀉物、精液、血液。様々な体液にまみれてうち倒れている若者たち。凍えるような夜もＴシャツ一枚で。ミニスカの女の子たちはタイツが破れて尻が丸出しだ。

もはや人間ではないものになるまで、まるで死にたがっているかのように彼らは飲む。「シャンパン社会主義」に対し、こちらは「糞尿リアリズム」とでも呼ぼうか。

「シャンパン社会主義」を堂々と批判するシニシストは、それではこの「糞尿リアリズム」なら受け入れる気はあるのだろうか。アンダークラスという便所クラーケンが発射する脱糞臭を顔面に浴びる覚悟はできているのだろうか。

シニシストたちは、レフト思想を貧乏人の専売特許にしてきた。それはシャンパンと糞尿は分断しておいたほうがピースフルだし、安心できるからである。なぜならシニシストとは、本当は社会が変わらないことを望んでいる人びとだからであり、現状維持を希望する人びとだからだ。

スリーフォード・モッズは過去七年間まったく同じことを歌って来たらしい。それが二〇一四年になって急にブレイクしたのは、時代が彼らの歌に追いついたからではない。時代が追いついたなどと吹聴して彼らの歌を取り上げ、熱心にプッシュして来たシャンパン階級の音楽評論家やメディア人たちがいたからだ（彼らは本当は若い層がこういう歌を歌うのを待っていたかもしれない。が、若者がビンジ・ドリンキングで総崩れでは、分別のあるおっさんが歌うしかないではないか。ジェイソンは最近まで市役所勤めだったのだ。あの顔で）。

繰り返すが、七〇年代のＵＫパンクは上層インテリと下層ヤンキーが渾然一体となることによってスパークしたレアなムーヴメントだった。

そして今、よく耳を澄ませば、シャンパンと糞尿はまたもや同じ言葉を発している。

REVOLUUUUUUTION !!

（"Donkey"）

（初出：web ele-king Dec 11, 2014）

JE SUIS 移民

なかなか慌ただしい年の初めだった。

昨年（二〇一四年）末から、連合いの姉たちと交代でアイルランドの姑の介護をしていて、正月はわたしの番だったので姑と一緒に新年を迎えたのだが、帰国した数日後に姑が他界した。で、またアイルランドにＵターンすることになったのである。

姑はアイルランドの田舎の小さな村に住んでいた。夫が亡くなるまではロンドンに住んでいたが、夫が亡くなるとすぐアイルランドに戻った。「黒い肌や茶色い肌の強盗だらけ」のロンドンは大嫌いだったそうで、そんな彼女だから、連合いが東洋人のわたしと結婚したときもネガティヴな反応を示した。姑と舅がロンドンに渡ったのは一九五〇年代で、英国では「犬と黒人とアイルランド人はお断り」などと言われた時代だ。アイリッシュ労働者の家庭も差別されたんだろうが、姑は有色人を自分たちのさらに下に位置する者と思っていた。アイルランドの緑の大地を愛した姑は、ロンドンの喧噪や地下鉄や細い路地を怖がり、白人以外はみな犯罪者だと決めつけていたという。

しかし皮肉なのは、姑が亡くなる前にお世話になっていた医師はインド人であり、看護師はフィリピン人で、家では日本人に介護されていたことだ。

世界とはまあそういう方向に進んでいる。

＊

アイルランドのカトリック教会で行われる葬式には前日に棺を教会に運び込む儀式がある。

さすがはアイルランドの田舎というか、村民全員が出て来たのではないかと思うぐらい教会に人が集っていた。で、身内の人間は最前列の祈禱席に座る慣習があるのだが、わたしは単なる嫁の立場なんで二列目に座ります、と言うのに義姉たちに腕を取られ、一番前に座らせられた。短い儀式が終わると、村民たちがずらりと並んでこちらに近づいて来た。昔、スペイン映画でこういうシーンを見たことがあるが、儀式に集まった人びとが身内の人間全員と握手を交わすしきたりになっているらしい。

「Sorry for your loss」

口々にそう言いながら、村人たちが一人ずつ、義兄、姪、連合い、義姉、と次々に握手を交わしながら、こちらに近づいてくる。振り返って村人の列を見ると、少なく見積もっても百人は下らない。

「Sorry for your loss」

「Thanks for coming」

とわたしも彼らと握手を交わしながら何人目かの村人が近づいて来たときだった。つ、と先方の手がわたしをスルーして隣の義姉の手を握ったのである。先方はわたしの顔さえ見ようとしない。彼がそうしたのを見て、次の人もそうした。まるでわたしは唐突に彼らには見えない透明人間になったようだ。

おおーっ。と思った。こういうあからさまな経験は久しぶりだったからである。

思えば、結婚当初に連合いの実家に行っていた頃もわたしは透明人間だった。

「レイシズムという点では、アイルランドは英国より五十年遅れている」

と言ったのは、息子と同じ学校に通っているアイルランド人の子供のお母さんだが、なんやかんや言ってもリベラルでアナキーなブライトンで暮らしているわたしは、この田舎の秩序ある白人レイシストたちの存在を忘れてしまっていた。彼らはヘイトスピーチなんか一言も発さないが、ある意味、「出て行け」とか「よそ者は失せろ」とか言葉をかけられたほうが人間として存在を認められただけでもリスペクトがある。黙殺。文字通り黙って存在を殺されることは、対立の土俵にも上げて貰えないことだ。

どんな顔をしてこんなことをしているのだろう。と思ったので、一人一人の顔をつぶさに観察しながら、わたしけすべての村人に手を差し出した。表情一つ変えずにこちらを完全無視する人もいれば、わたしを一瞥してからわざとらしく顔の向きを変える人、こちらの視線が鬱陶しいらしく顔を歪める人もいた。握手した人の方が多かったのだが、しなかった人も驚くほど多かった。

見るからに非白人だから嫌がられたのか、東洋人がカトリック信者であろうはずがない、だのに我々の教会の最前列で黄色い女が何をしているのか、という宗教的憎悪だったのかは不明だが、あれは実に見事な握手拒否であった。「信仰よりも愛が大事」と言った人を教祖とする教会での出来事と考えれば、それはある意味フランスの風刺画よりも風刺的である。

＊

ふと目を上げると、祭壇の十字架にかけられたキリストの頭の上に「ＩＮＲＩ」の文字が見えた。ＩＮＲＩとは、Iēsus Nazarēnus, Rēx Iūdaeōrum（ユダヤ人の王）の略称である。

当時のイスラエルには、死刑に処される罪人がかけられる十字架の上部に当該人物の罪状を書き込む習慣があった。が、キリストは犯罪を犯したわけではなく、「ユダヤ人の王」と信者に崇められ、権力者たちに危険視された教団を率いていたという理由で殺されたので、「ユダヤ人の王」という罪状が書かれた。これは嘲笑の対象になるという効果もあり、粗末な布で局部を隠しただけという貧乏くさい姿で強盗や殺人者と一緒に処刑されるホームレスのような男が王様のわけねえだろ。とキリストを見た人びとは笑ったのであり、つまり十字架についている「ＩＮＲＩ」とは風刺の文句とも言える。

欧州人が言論の自由の名のもとに宗教をおちょくり倒せるのは、欧州文化の母胎であるキリスト教がアンチヒーローを教祖とする宗教だからだとわたしは本気で思っている。蔑まれ、バカにされ、風刺の対象にされて処刑された情けない男が、最も低いところにいたからこそ神になり得た。というパラドキシカルな側面がどうしたってキリスト教にはある。だからこそ、彼らはタブーの意識が希薄なのだ。キリストだっておちょくられたのだから、何だって風刺の対象になり得る。が、それは他の文化圏・宗教圏の人びとには通用しない。神様とは王様然とした金箔銀箔づくしの存在だったり、絶対的聖域でなくてはならないと思う文化圏の人びとに「アンチヒーローを敬う文化」を受け入れろと言っても無理だ。

わたしはアンチヒーローや風刺が大好きで（何の因果かカトリックの洗礼を受けた過去があるからかもしれないが）、オールタイム・フェイヴァリット映画がモンティ・パイソンの『ライフ・オブ・ブライアン』などと言っている人間だから宗教はコケにされてもいいものだと思っているし、そうされる宿命を負ったものだと思う（だからこそ信じられると思う人間もいるからだ）。が、同時に、異なる宗教や背景を持つ人びとが異なる考えを持つのは当然である。最近の風潮として、アイルランド人にせよ英国人にせよ、「ムスリムはユーモアを解さない」みたいなことを言う人が多いが、移民のユーモアのセンスまで矯正するつもりなのだろうかと訝ってしまう。

少なくとも、わたしが知る限り、ムスリム移民の多くは、「俺らvsやつら」といった構図の中で生きているわけではなく、つつがなく日常を送るために自分から歩み寄っている。

＊

日本で言う通夜にあたる「wake」は、教会での握手会の後に近所のパブで行われた。アイリッシュの「wake」は楽器を弾いて歌ったり踊ったりのパーティ状態だったと記憶していたが、高齢化が進む地方の村ではそれはいたって静かなものだった。握手拒否の人びとが遠くのほうでサンドウィッチを頬張りながら笑いさんざめいている。

「パキスタン人のムスリムが経営するカレー屋が」

と高齢の女性が言った。彼女は二十年近く前からわたしを知っているので、教会でわたしの手を握り、抱擁してくれた人だった。

「『イスラム教にもキリストは出て来るんだよ』と言って、イーサーという預言者の絵を店内に飾っている。『これはマリアだ』と、その預言者の母親の絵も隣に飾っているのよ」

「……ああ」

「多くのアイルランド人は、『あれはキリストではない』と言うの」

「英国の教会にもそういう人たちはいます」

「たとえあれがキリストでなかったにせよ、自分や家族の身をゼノフォビアから守るためにああいう絵を自分の店に飾っている人たちを見て、キリストが『それは俺じゃない』と言ったかしら」

「……」

「私は言わなかったと思う。そのことを忘れると欧州は大変なことになる」

テーブルの上には大量のサンドウィッチとスープとスコーンとティーとギネスが並んでいた。若い頃はこんなアイルランドが大好きで、此処に住むのが夢だった。が、今はそうは思わない。なんか物足りない。異なる肌の色や常識や理念が入り混じり、黙殺ではなくヘイトスピーチが飛び交うブライトンの喧噪が恋しかった。

無性にチキン・ティッカ・ビリヤーニが食いたくなって往生した。ギネスに合うのはサンドウィッチよりカレーだ。

（初出：web ele-king Jan 26, 2015）

左翼セレブたちの総選挙

昨年（二〇一四年）『ザ・レフト――UK左翼セレブ列伝』という本を書いた。で、五月七日に行われた英国総選挙の前後、そこで取り上げた著名人たちにも動きがあったので拙著の続編としてまとめてみたい。

まず、マンチェスターのサルフォードから国会議員に立候補した元ハッピー・マンデーズのベズ。彼はリアリティー党という政党を立ち上げ、今年一月に選挙委員会に登録しようとしたが、以前リアリスト党という政党が存在したことが判明し、有権者の混乱を招くかもしれないので改名せよと選挙委員会から命じられ、ウィー・アー・ザ・リアリティー・パーティー（俺らがリアリティー党だ）という党名に変更している。

のっけからトラブルに見舞われた船出となったが、立候補者三名のミニ政党にしてはさすがに注目を集め、BBCニュースの小政党特集にも招かれ、ベズが党首インタヴューを受けた。吉本新喜劇のヤクザ役が着るような派手なストライプのスーツを着て登場したベズは、緊張していたのかラリってたのか判然としない目のとび方で、「フラッキング（化学物質を含む高圧水を使用したシェールガス・オイルの採掘法。環境汚染を懸念する見方がある）に反対ならマラカスを振れ」、「全ての人に変革を、それも今すぐに」という党の選挙スローガンについて語った。目つきはヤバいしスーツは池乃めだかみたいだし、ってんで完全にイロモノ扱いされていたが、ベズはインタヴューの中で、自分が政党を作って立候補したのはみどりの党がマンチェスターでは弱いからだということを明かした。

みどりの党のお膝元といえば我が街ブライトンだが、各選挙区で勝利した政党のカラーで色分けされた英国マップを見ていると、ロンドンは赤（＝労働党）だが、それより南の地域は見事にブルー（＝保守党）一色であり、最南端のブライトン&ホーヴ市だけが赤とグリーン（＝みどりの党）になっている。よって「ブライトン&ホーヴは南部のスコットランド。独立すべき」などと言う人もいるが、みどりの党の国会議員キャロライン・ルーカスは、本書に登場する底辺生活者サポート施設のアドバイザーを務めていた人だ。みどりの党は、「エコお洒落なミドルクラスのための政党」と呼ばれた頃とは違い、近年は反緊縮や貧困廃絶のカラーを強く打ち出している。

北部の労働組合が強い地域は今でも労働党が幅を利かせているので、ベズが立候補したサルフォードでも約二万〇〇〇〇票を獲得して労働党議員が当選した（ベズは約七〇〇票で落選。八候補者中六位）。が、ブレア以降、著しく保守党寄りの政策をとるようになった労働党にベズは不満を感じており、ＳＮＰ（スコットランド国民党）やウェールズ党と組んで反緊縮、反核の左翼連合を組んだみどりの党への強い共感を表明している。

投票日の夜、ベズは地元紙にこう語っている。

「これは単なる始まりだ。今年は勝てなくとも、俺たちが重要だと思っている問題への人びとの認識を高められたと思う。同時に、俺は人びとにもっとみどりの党に投票してほしい。彼らのマニフェストは俺たちと非常に似ている」

他党への投票を訴える党首というのもなかなか新鮮だが、みどりの党さえベズを受け入れる勇気があれば、次はグリーンのマラカスを振っている可能性もあるのではないか。

ベズの政党同様、ケン・ローチのレフト・ユニティーも今回は全滅した。十人の候補者を立てたが、最も多くの票数を獲得したベスナルグリーン＆ボウ選挙区でも九四九票となかなか厳しい。レフト・ユニティーは著名人候補者を一人も立てなかったし、ケン・ローチを前面に出してメディアを使う戦略も取らず、地味な草の根の選挙運動を行ったので、一般的にはまだその存在を知られていない。若いスクワッターやフディーズと、ゴリゴリの社会主義タイプの中高年の両方を党員に抱える政党なので、意見の衝突もあるようだが、あくまでもストリートで支持者を獲得して行こうとする方針では一致しているようだ。

ベズとは対照的に、ケン・ローチはＳＮＰ、みどりの党、ウェールズ党の国内左派ブロックは屁温いと感じているようで、ギリシャのシリザ、スペインのポデモスへの共感を示し、「国境を超えた反緊縮連合vs大企業に支配されたヨーロッパ」のイメージを構想している。

「緊縮の終焉は新経済の誕生を意味する。それがシリザやポデモスが求めていることだ。これはヨーロッパ規模で行わねばならない。大企業支配への対抗勢力を作らねば」

「産業を計画し、生産を計画すれば、国民全員の雇用を実現できる。すべての子供たちに社会に貢献する権利を与えなければいけない。安定した生活を得て、家庭を作ることを計画でき、人生を計画する権利を一人一人の子供たちに与えなければ」

とマニフェスト発表記者会見で語ったローチは、ＳＮＰやみどりの党、ウェールズ党の国内左派連合については、

「反緊縮での連携は良いことだ。しかし、これらの党は社会民主主義政党だ。彼らは庶民に有利に働くように市場を操作することは可能だと思っている。僕はそうは思わ

ない」

と発言している。

EU離脱、スコットランド独立問題などのナショナリズムの気運が高まる英国で、ケン・ローチの欧州主義は時代に逆行する古めかしさを感じさせるが、逆に「今」ではないからこそ「未来」を見ているのかもしれない。

今回の選挙で大きな注目を集めたのが革命の扇動者ラッセル・ブランドだ。彼は投票日直前に労働党のミリバンド党首を自宅に招いて公開インタヴューを決行し、現在の労働党に足りないものを率直に助言した。それを知った保守党のキャメロン首相が「ラッセル・ブランドは単なるジョークだ」と発言し、右派の新聞が「コメディアンにまで頼らねばならないピエロを首相にはできない」とミリバンドをこき下ろしたものだからラッセルは激昂、「現代の政治への最大の抵抗は投票しないこと」というスタンスから劇的なUターンを見せ、投票日の三日前に「緊急事態発生：革命のために投票を」と題した映像を九百万人のツイッター・フォロワーたちに送った。彼は映像中でこう呼びかけた。

「もし君がスコットランドに住んでいるなら、すべきことはもうわかっているだろうし、もし君がブライトンに住んでいるならみどりの党に投票してくれ。だが、それ以外の人びとは労働党に投票して欲しい。なぜなら、ミリバンドはまだ我々の言うことを聞こうとするからだ。一番危険なのは他者に耳を傾けない首相だ」

しかし、保守党が過半数の議席を獲得して勝利した直後、衝撃を受けたラッセルはもう政治からは手を引くと宣言し、右派メディアが自分とミリバンドのインタヴューを利用して大騒ぎしたことが労働党のマイナスイメージに繋がったとして、「選挙をクソみたいな結果にした責任の一端は自分にもある」と反省した。が、すぐに気を取り直し、キャメロン首相の勝利演説を鋭く批判する映像を発表し、「これはポスト・ポリティクスの時代の始まりだ。人びとが政治から離れ、自分たちでオルタナティヴなシステムを創造する時代が来る」と発言している。

最後に、スコットランドとSNPの躍進が大きくクローズアップされた今回の選挙で、そのとばっちりを受けた人物としてJ・K・ローリングに触れておきたい。スコットランドは左翼的思想と燃えるようなナショナリズムを両立させている地域だが、後者のほうは結構えげつない部分もある。スコットランド在住のローリングは昨年の独立投票で反対派に回ったので、一部のSNP支持者たちから「裏切り者」「スコットランドで生活保護を受けながらハリポタを書いたくせに、その恩を忘れたか」と迫害された、という話は『ザ・レフト』に書いたところだ。

で、SNPが労働党の議席を奪って選挙に大勝すると、勝利の美酒に酔う一部のSNP支持者たちが再びローリングいじめを始めた。

「親愛なるJ・K・ローリング様。わが国は九五%がSNP支持者になりましたが、まだご無事でおられますか」「労働党支持の糞ビッチは出て行け」「労働党のクソどもはくたばれ。スコットランドでは貴様ら左翼の時代は終わった。特にお前だ、J・K・ビッチ顔」など、数多くの口汚いツイートが寄せられたが、中でも面白いのは最後のつぶやきで、これなどはSNP支持者には自分たちを右翼だと思っている人もいるということを端的に示している。はっきり言って彼の地ではもう誰が右なのか左なのかわからない状況なのではないか。というか、SNPは右にも左にも足をかけているから支持が飛躍的に伸びるのだ。両方カバーできるのだから無敵である。

で、彼女をビッチと呼んだり、容姿をからかったりする愛国者たちのツイートをJ・K・ローリングはこう制した。

「インターネットは女性憎悪的な虐待を行う機会を提供しているだけではありません。ペニス増大器具もこっそり買えたりしますよ」

彼女の反撃はイングランドでは痛快だと評価され、メディアに大きく取り上げられた。一方、スコットランドの新聞のサイトでは、ローリングを批判した人びとが彼女のファンからネットで集中攻撃を受けているという話が大きく報道されていた。

この国では「ソリダリティー」という言葉がよく聞かれるようになってる。が、どうも今のところ民衆のソリダリティーはナショナリズムの枠組みの中にしか存在しないように感じられる。愛国主義がソリダリティーの位置にすっぽりスライドしているというか。

だとすれば、それは同性愛者たちが炭鉱労働者たちと団結した『パレードへようこそ』のあのソリダリティーとは異質のものであろうし、新しい夜明けが来るように感じられた選挙前のムードが実はまったくの勘違いだったのも、それと無関係だとは思えない。

（初出：web ele-king May 19, 2015）

音楽とポリティクス

「投票は想像力のない人間がすることだ。それは自分たちとは異なる世代のためのものであり、そんなものでは何も達成できない」

ザ・ホラーズのファリス・バッドワンは総選挙前にそう言った。

UKには、保守党政権を潰すチャンスがあればオルタナティヴ・ロックと呼ばれるジャンルのアーティストたちが立ち上がる伝統があった。が、ヤング・ファーザーズ、スリーフォード・モッズ、エンター・シカリ、ジ・エネミーなどの一部の例外を除き、五月の選挙ではいわゆるオルタナとかインディーとか呼ばれるジャンルのスターたちは口を閉ざしていた。日本には伝わってなかったかもしれないが、英国では「歴史に残る右派と左派の接戦になる」と大騒ぎになっていたのである。ここまで盛り上がったらさすがに『NME』も何かやるかな。と思ったが、業務平常どおりだった。どうやらもう、UKロックは政治には触れないものになった。ということで確定のようだ。

現代の英国は八〇年代に似ていると言われる。ビリー・ブラッグやポール・ウェラー、ザ・スミスらの政治活動団体レッド・ウェッジが若者たちに「ひどい時代を終わらせたければ投票しろ」と呼びかけた時代と世相が似ているらしい。同じ政党が政権を握っているのだから、まあそうなるのも道理だろう。

「UKのオルタナティヴ・ロックは再びポリティカルにならなければいけない」と中年ミュージシャンやライターが昨今さかんにメディアに書いている。が、なんかもうそういう言葉を読むのも個人的には虚しくなった。

若いミュージシャンたちはよく「政治については語れるほど知らないのでコメントできない」と言う。それはそれで正直だし、非常に真面目だ。もうよかやんね。と思えてくる。

＊

訳あって、わたしは底辺託児所（わたしの中では緊縮託児所と改名している）に復帰した。四年半前もそこは十分に底辺であったが、現在はそのさらに下を行くサブゼロの世界が展開されている。これ以上悪くなりようがないと思うものにも、けっこうそれ以上に悪くなるのり代は残されているものなのだ（それはギリシャの状況を見てもわかる）。

賞味期限切れの食料品配給の列に並ぶ人びとの数は想像を絶する。が、これ以上配る食べ物がない。リサイクルの子ども服が圧倒的に足りない。センター玄関の軒下で寝ている人たちには帰る家がない。とにかく、「ない」のだ。八〇年代どころかこれはディケンズの時代である。

緊縮託児所関係者やギリシャの人びとは「投票は想像力のない人間がすることだ」とは絶対に言わないだろう。

言うことがあまりにも現実と剝離していると、それはエスタブリッシュメントの言葉に聞こえて来る。それが英国のオルタナティヴ・ロックに起きたことだ。実際、それはロックっぽいサウンドとかコスチュームとかアティテュードとかいう様式を重視する点で、オペラやバレエといった上流階級のエンタメにそっくりだ。

グラストンベリーは今世紀に入ってからミドルクラストンベリーと呼ばれている。あれはグラストンベリーCNDフェスティヴァルと呼ばれていたのだということを知っている人がどれぐらいいるだろう。

＊

わたしら夫婦はグラストンベリーではなく、ぐっとローカルなブライトン＆ホーヴのクリケット場でマッドネス主催のスカ・フェスを見ていた。若き日の俺やアタシを思い出したノスタルジックなファッションで中高年が押し寄せた会場は、まるで主要キャラが五十代、六十代になった『This Is England』のロケ現場のようだった。

連合いの同僚たちもツートンとスキンズが混ざったようなファッションのおっさん軍団と化して来ていたので、合流してパブに行った。加齢で増量しているにも拘わらず軽やかにこなれたダンスを披露していたおっさんたちは、パブのソファに腰を下ろして音楽について語り始めた。

「俺はスペシャルズのほうが好きだったんだけど、去年サグスの自伝を読んだら来るもんがあってなー」

「最近の曲が、いいもんな」

「ちゃんとおっさんソングになってって泣けてくる」

「カムデンの糞ガキどもだったんだもんな、あいつらは」

「俺たちの時代は、ポピュラー・ミュージックは最高だった」

みたいなことを彼らが言い出したので、わたしは思い切って聞いてみることにした。

「みなさんはブリティッシュ・ロックはポリティカルになるべきだと思いますか?」

一同「はあ?」みたいな顔になったので、連合いが説明する。

「こいつ、時々音楽について日本語でネットか何かに書いてるみたいだから」

「いや、七〇年代とか、とくに八〇年代は、UKロックとポリティクスは切っても切り離せない関係だったのに、いまはずいぶん遠いものになってるなと思って」

「それはロックをやってるのがみんな上の階級の人間になったからだ」

わかりきったことだろう、という口調でスキンヘッドの親父が言った。

「そうそう。Rockってのは、Rock the boatって言葉もあるように社会を揺さぶるものだった。だが、上層の人間は別にボートを揺らしたくなんかないだろう。下手に揺さぶると自分が落ちるかもしんねえから」

サグスみたいなスーツにサングラスでがっちり決めていたおっさんもそう言った。

「では、ブリティッシュ・ロックは再びポリティカルになるべきだと思いますか？」

とわたしは聞いた。

懐かしいえんじ色のボンバージャケットにフレッドペリーのポロ、頭には黒のポークパイ・ハットを被ってオレンジジュースのグラスを握りしめたおっさん（ドクターストップで酒をやめたらしい。ご同輩だ）がわたしの顔を見てきりっと言った。

「YES」

「どうして？」

「ポピュラー・ミュージックは、社会を反映しなくてはいけないからだ」

＊

それにつけてもスカ・フェスで感じたのは、スカ系の中高年たちが（さすがにもう細身のボトムスは穿けなくなったので下半身がバギーになっていた人が多かったが）やけにクールだったということであり、こういう「族」ももう長い間UKには出現していない。

ある夕暮れ時、うちの息子の手を引いて近所を歩いていたときに、反対側から物凄い速度でこちら側に向かって舗道を歩いて来た長身の青年がいた。よれよれのパーカーを羽織ってフードを被っていたが、その下はなぜか裸だったのでぎょっとした。ボトムはやはり穿き古して腐ったような色の、足首のゴムが切れてだぼだぼに広がったスウェットパンツを穿いており、足元は素足に雪駄。物凄く格好悪いものと物凄く格好いいものは実は同じである。という不可解なパラドクスを彼は体現しているようだった。

相手が全速力で歩いていたのと、目つきが『爆裂都市』の町田町蔵ばりにトンでいたのに身の危険を感じ、わたしは思わず子供の手を握り締めたのだったが、まるで突風のように彼が通り過ぎると、うちの息子が放心したように言った。

「ちびりそうになるぐらい怖かった。でも、He's coooooool!!」

ジョニー・ロットンやギャラガー兄弟を初めて見たときの英国の若者たちもこんな感じだったのかなとふと思った。

オーウェン・ジョーンズは『Chavs』というベストセラー本で、英国の政治がどれほどシステマティックにアンダークラスという階級を社会の悪役にしたかということを論じた。

英国のエスタブリッシュメントは、メディアを使ってChavを「英国のモラルを劣化させ沈没させる悪魔たち」にするPR作戦を繰り広げたが、これには「チャヴをこよなくダサいものにする」という戦略も含まれていた。邪悪でもクールなものには惹かれる人はいるが、邪悪だは、救いようもないほどダサいはでは、誰も同情も共感もしなくなるから、為政者にとっては切り捨てるのに都合がよい。

かくして「Chavs」は新たな「族」になる資格「クールであること」をはく奪され、フードで顔を隠して盗みや暴力行為を行う犯罪者集団「フディーズ」として定着した。それ以来UKに「族」が出て来ていないことを考えれば、政治がUKのポップ・カルチャーの沈滞に対して負う責任は大きい。

オルタナティヴ・ロックが純粋にその芸術性や音楽性のみを追求するようになり、反逆だの政治だのと言った無駄な要素を捨てたことは、音楽芸術の一形態として幸福なことだという人もいる。

が、英国にはジョン・ライドンも好んで使う「Arty Farty」（すぐアートがどうとかもったいぶって言い出す屁みたいな奴――ブレイディ訳）という言葉もあるように、それだけじゃねえだろうという気骨が伝統的にあったはずだ。そして（世界を絶賛席巻中の）ロイヤルファミリーだの、アフタヌーンティーだのといったものとは違う、この国のもうひとつのカルチャーや魅力はすべてそこから派生していたのである。

しかし、それがエスタブリッシュメントの政治によって組織的に抑え込まれている状態がどれほど長く続いていることか。

音楽のほうがポリティクスを捨てたつもりでも、あちらはしっかり音楽を囲み込んでいる。

（初出：web ele-king Jul 01, 2015）

ヨーロッパ・コーリング

ele-king の読者がギリシャ危機にどのくらい興味を持っておられるかは不明だが、この問題は金融・経済関係者だけに語らせておくには勿体ないサブジェクトである。個人的には、ギリシャのシリザやスペインのポデモス、スコットランドのSNPなどの欧州政治を騒がせている反緊縮派たちを見ていると、こっちのほうがいま音楽よりよっぽどロックンロールで面白い。英国総選挙前にケン・ローチが「これは英国だけの問題ではない。欧州全体での反緊縮派と新自由主義との戦いになる」と言っていたが、それがどうもマジではじまっている実感がある。

とまあこういうことを身近に感じるようになったのは、緊縮託児所（底辺託児所）にまた出入りするようになったので緊縮というものについていろいろ考えるようになったということもある。

が、五年前ならこんなときにしこたま話をすることができたそっち系の人びと（アナキスト）の姿をとんと見なくなってしまった。彼らはいったいどこに行ったのだろうか。

＊

保守党政権が進めている緊縮政策のせいで、ミュージシャンや俳優といった仕事は一部の恵まれた階級のものになり、アートが地べたから剝離したものになっている。というのはわたしも書いてきたし、紙版 ele-king のインタヴューでジャム・シティも語っていたことだ。

で、今回、貧民には手が届かなくなった仕事としてもうひとつ挙げたいものがある。アナキストである。

アナキストが職業なのかというのは微妙なところだが、失業保険や生活保護を受けながら、自らが信じる政治的信条のため日々ヴォランティアや政治運動に明け暮れていた人びとの姿が見えないのである。ブライトン名物といえばアナキストと言われていた（正確には、「ブライトン名物と言えば、ブライトンロックとアナキスト」）ものだが、彼らの絶対数がストリートから減っている。底辺生活者サポート施設に出入りしていたアナキスト系無職者には、ミドルクラス以上の裕福な家庭で育ち、私立校出身の高学歴なのに自らの主義主張のために下層に降りて来た人が多かった。しかし、如何せんアナキストなので実家とは疎遠になったり、勘当状態の人も結構いて、育ちは良くとも本人たちは貧乏だった。そんな彼らも緊縮財政で失業保険や生活保護の減給・打ち切りにあい、就職したり、借金苦に陥って行方不明になったり、もはや政治的ステイトメントとしてドレッドヘアをしているのではなく、本物のドレッドになって路上に寝ている人さえいる。

「お前らアホなことやってないで働けよーと思ってたけど、実際に街で見かけなくなると寂しいな」

ダンプの運ちゃんをしているうちの連合いは言う。

「というか、よく考えるとヤバい。なんやかんや言って、あいつらは権力にカウンターかける存在だから。世の中からカウンターが消えてるってことだもんな」

その主張の良し悪しは別として、生き生きとしたカウンターが存在できる世の中というのは、デモクラシーがあるということだ。カウンターのパワーが消され、見えなくなった社会ではデモクラシーも虫の息である。

ギリシャにしても、国民投票で人民は「もう緊縮は勘弁してください」と言ったのにまだやらされるのはなぜなのか。それは経済を立ち直らせるためではない。世界のほぼ全ての著名経済学者が「ギリシャの場合、緊縮してたら借金は減らんよ。不況も終わらん」と断言しているのである。それは財政や経済とはもう関係ないのだ。EUという欧州を牛耳る組織の指導者たちが、生き生きとしたカウンターが存在するような社会にしたら面倒くさいと思っているからだ。自分たちに逆らうやつは緊縮、緊縮、また緊縮で夢も希望も奪っておとなしくさせる。というディシプリンというか「躾け」の為政法が緊縮なのである。

学者が「それは間違ってるよ」と全員一致で言い、人民が「そんなの絶対に嫌」と言っても、為政者がゴリ押しで自分のプランやアジェンダを押し通す。洋の東西を問わず、強引な政治はトレンドである。

＊

で、例えば保育園でも他人の言うことを聞かずにすべて自分の思う通りにする子供がいるときは、先生や他の園児が舐めきられているときだ。スペインの場合には、先生が園児たちに、「みんなで一緒にがんばれば○○ちゃんの思う通りにはならなくなるよ」とわかりやすく話しかけてポデモスという反勢力を結成した。先生とは政治学者のパブロ・イグレシアスであり、○○ちゃんは緊縮とグローバル資本主義だ。

また、スコットランドでは園児のなかから元気のいい女児が出て来て、「○○ちゃんのやり方は不公平でおかしい」と公言してそれに従わず、仲のよい友だちを連れて半独立グループを教室の隅に結成したところ、○○ちゃん派の園児のなかにも「あっちのほうが楽しそう。ボクもあっちに行こう」と言う子たちが出てきて教室全体に影響を与えはじめた。元気のいい女児はＳＮＰのニコラ・スタージョンで、○○ちゃんとは緊縮とUK政府である。

が、ギリシャでは力の強いEUちゃんに真向から殴り合いを挑んだシリザという園児グループが完膚なきまでに打ち倒され、主義主張も捨てさせられて死にかけている。しかし、どうやらノーベル賞という偉い賞を貰った外国の保育園の先生が、園児たちを助け起こしに行っているらしい。ギリシャ入りした先生とは経済学者のスティグリッツだ。クルーグマンもピケティは教室の外側からEUちゃんを批判している。

これらの動きが時を同じくして出て来ているのは、偶然ではない。

そして英国にも、ついにこれらと連動する事象が表出してきた。

＊

総選挙以来空席になっている労働党首に、ジェレミー・コービンという六十六歳の「労働党内左派」が立候補したとき、党内外の人びとは腹を抱えて笑った。保守党などは、彼が党首になれば二度と労働党に政権を奪われることはないと色めき立ち、「次の選挙にも勝つために一時的に労働党に入党してみんなでコービンに投票しよう」キャンペーンを張っていると言われているほどだ。

「首相は四十代」が近年の常識になっている英国では、前線の政治家は日本に比べるとぐっと若い。六十六歳などというのは爺さんすぎて、間違っても党首などになる年齢ではない。しかもこの爺さんはダイ・ハードなレフトである。八三年に国会議員になって以来、反核、反戦、パレスチナ問題、反富裕、反緊縮など、左翼デモには常にこの人の姿があった。所謂「そっち系の人」なのだ（彼が芸能活動もしていたら、間違いなく拙著『ザ・レフト』に入れた）。

「アホかー。そんなマルクス主義の爺さんが労働党の党首になるわけねえじゃん。げらげらげら」

が世間の反応で、メディアも「こんな貧乏くさい極左（彼は最も経費を使わない国会議員のひとり）が党首候補になるほど労働党はジリ貧」という視点で面白おかしく書きたてた。

が、『ガーディアン』紙の若き刺客オーウェン・ジョーンズだけは、

「ジェレミー・コービンが党首に立候補した。やっと面白くなってきたじゃないか」

と興奮ぎみに書いた（で、こっちも「気でも狂ったか」とげらげら笑われた）。

五月の総選挙を見る限り、労働党が大敗したのは政策が保守党と大差なかったからで、だからこそ左翼的でオルタナティヴな政策を唱えたスコットランドのＳＮＰが大

躍進を遂げたのだ。冷静に考えればどうやったら労働党が盛り返せるのかはわかりそうなものだが、労働党はいまでも次のトニー・ブレアを探している。ブレア時代のシャンパンまみれのヴィクトリーが忘れられず、「二度と時代錯誤な社会主義政党には戻ってはいけない」をマントラにしているのだ。んが。

その裏でコービン支持が不気味に広がっており、労働組合や若い世代の支持を受け、非公式の党内調査で支持率が本命のアンディ・バーナムを抜いて一位になったという報道まで出ている。何よりもこの現象に驚いているのは本人だろう。ケン・ローチが左翼不在の社会の捨て石となるためにレフト・ユニティを立ち上げたように、コービンもまた左翼不在の労働党の捨て石になるために党首に立候補したのだ。主役になるつもりは、というか、勝つつもりは全くなかった筈だ。

労働党幹部たちは「彼が党首になったら、労働党は終わってしまう」とパニックし、右派新聞『デイリー・メール』の読者コメント欄には「でもよく考えたら、レフトが労働党のリーダーになることのどこがいけないんだろ」という根源的疑問が寄せられている（右派のほうが左派のことを冷静に見ているというのは往々にしてある）。

いやー、この感じはまるでジョン・ライドンがB級セレブ番組に出演し、怒号と嘲笑の中でぐいぐい支持を伸ばして優勝候補になったときのようだ。

この躍動感はただごとではない。コービンはロンドン北部選出の議員だが、これはロンドン・コーリングではない。ヨーロッパ・コーリングだ。

＊

以下は拙著『ザ・レフト』に書いた文章だが、リピートしたくなってきた。

「誰もが度胆を抜かれるほど先鋭的なものを創造する鍵は、誰もが度外視している古臭いものの中に隠れていたりする。というのは、例えば音楽の世界では常識だ。政治の世界でも、そんなことが起こる時代に差し掛かっているとすれば、わたしたちは面白い時代に生きているのかもしれない」

（初出：web ele-king Jul 21, 2015）

パンと薔薇。と党首選

それはある晴れた夏の日のことだった。

鬱気質であまり明るい人間ではない筈のうちの連合いが、爽やかな笑顔を浮かべてロンドンから帰って来た。癌の検査で病院に行って来た男が、また何が嬉しくてこんな陽気な顔で帰ってきたのだろうと訝っていると、彼は言った。

「ロンドンがいい感じだったよ」

「いい感じって？　何処が？」

「いや全体的に」

と言って口元を緩ませている。

「なんか、昔のロンドンみたいだ。俺が育った頃の、昔のワーキングクラスのコミュニティーっつうか、そういう息吹があった」

相変わらずわかりづらい抽象的なことしか言わないので、具体的にどんな事象が発生したのでその「息吹」とやらを知覚したのかと問いただしてみると、こういうことだった。

自分が行くべき病院の場所を知らなかった連合いは、ヴィクトリア駅前のバスターミナルに立っていた。おぼろげにこっち方面のバスだろうなあ、と思いながらバス停のひとつに立っていたおばちゃんに「○○病院に行きたいのですが」と話しかけると、「ああ、それならこのバス停だよ。○番のバスに乗って、十一番目、いや待てよ、十二番目かな、のバス停、左側に大きなガソリンスタンドと貸倉庫が見えて来るから、それをちょっと過ぎたところでバスを降りて、道路を渡ったら煙草屋があるから、その角を右に曲がって一○○メートルぐらい歩いたら云々」とやたら詳しく説明をはじめ、「ああ、でも、アタシそのバスでも家に帰れるから、一緒に乗って、あなたがバスを降りる時にまた教えてあげる」と言ったそうだ。それを聞いた連合いは感心し、「いやあ、今どき、こういうローカルな知識のある人にロンドンで会えるなんて新鮮です。今の世の中はソーシャル・ディヴァイドが進んで、気安く人に話しかけられない」と言うとおばちゃんは言ったそうだ。

「いや、ロンドンは変わるんだ。昔のようなコミュニティ・スピリットが戻って来るんだよ」

おばちゃんはそう胸を張り、

「あなた、ジェレミー・コービンって知ってる?」

と唐突に言ったらしい。

「ああ。すごい人気ですよね」

「彼はもう三十年もイズリントンの議員だった人だよ。ロンドンっていうとすぐウエストミンスター政治って言われるけど、ロンドンのストリートを代表する政治家だっているんだ」

バスに乗り込んでもおばちゃんは連合いの隣に座ってコービン話を続けたそうだ。

「俺はジェレミー・コービンの言うことは全て正しいと思うけど、それと政党政治とはまた別物だから……」

と連合いが言うと、後ろの席に座っていた学生らしい若い黒人女性が、

「私、実はジェレミーを支持するために労働党に入りました」

と言い、脇の折り畳み式シートに座っていた白髪の爺さんも、

「ゴー、ジェレミー」

とこっそり親指を立てていたそうだ。

「ひょっとしてこれはコービン・ファンクラブのバスか何かですか?」

と連合いが言うと、乗客たちがどっと大笑い。みたいなたいへん和やかな光景が展開され、病院近くのバス停で降りるときにはおばちゃんがまた懇切丁寧に病院までの

道筋を教えてくれ、病院に着いてからも心なしか受付のお姉ちゃんも看護師もみんな気さくで親切で、ロンドンがきらきらしていたというのだ。

「それ、天気がよかったからじゃないの?」(実際、天気がいいと英国の人々は明るい)

とわたしは流しておいたが、ロンドンであんなポジティヴなヴァイブを感じたのは数十年ぶりのことだと連合いは力説していた。

それが日本に発つ前日のことで、二週間帰省して英国に帰って来てみれば、ＳＫＹニュースの世論調査で党首選でのコービン支持が八〇・七％などという凄い数字になっていた。

今年（二〇一五年）の総選挙で英国の世論調査がどれほどあてにならないかということが露呈されたとはいえ、さすがにこれでコービンが労働党の党首に選ばれなかったら裏でトニー・ブレアたちが何かやってるだろう。

しかし、たったひとりの政治家がストリートのムードまで変えてしまうというのはどういうことなのだろう。

わたしも日本語のネットの世界ではけっこう早くからコービン推しをしてきたひと

りだと思っているが、正直なところ、「どうせ彼が勝つわけがない」という前提はあった。

ここら辺の気持ちは、立候補当初から彼を全力で支援してきた左派ライター、オーウェン・ジョーンズも明かしているところで、彼も「三位で終わるだろうと思っていた」と書いている。しかも、コービンの立候補を知った時の最初のリアクションは「心配だった」と表現している。彼のいかにも政治家らしくないキャラクターが、「反エスタブリッシュメント」のシンボルとしていろいろな人々に利用されはしないかと思ったという。

オーウェンとコービンは十年来の友人だ。いわゆる「レフトがいかにも行きそうなデモや集会」でしょっちゅう会っていたからだ。拙著『ザ・レフト』にも書いたところだが、「草の根の左派の運動をひとつにまとめてピープルの政治を」というのは、ここ数年、英国でずっと言われて来たことだ。が、オーウェンは「まだ自分たちにはその準備ができていない」と思っていたという。それがコービンの党首選出馬によって数週間のうちに現実になって行くのを見ると、左派にとっては「嬉しい誤算」というより、「へっ？」みたいな戸惑いと怖れがあったのだ。

ビリー・ブラッグもその複雑なところをFacebookに吐露している。

「労働党の党首選には首を突っ込まないつもりだった。党員ではなく、支持者として見守るつもりだった。党内の人びとに決定させ、自分はその結果を見て労働党を支持するかどうか決めようと思っていた。コービンが立候補した後でさえ、気持ちは変わらなかった……（中略）……だが、僕の気が変わったのは、トニー・ブレアが『自分のハートはコービンと共にある、などと言う人はハート（心臓）の移植手術を受けろ』と言った時だった。僕は労働党にハートのない政党にはなって欲しくない」

＊

月曜日にBBC1の「パノラマ」というゴールデンアワー放送のドキュメンタリー番組で、ジェレミー・コービンの台頭について特集していた。今週の土曜日に党首が発表されるというのに、そこまでやるかというぐらいにアンチ・コービンな内容の番組だった。

BBCは労働党のブレア派と繋がりが深いとは言え、またこれは露骨な。と驚いたが、メディアがこうした報道をやればやるほどコービン人気はうなぎ上りに盛り上がる。

英国民を舐めちゃいかん。

ここは昔パンク・ムーヴメントが起きた国だ。

なるのである。

「それはダメ」「それだけは絶対にいけない」と言われると、無性にそれがやりたく

＊

コービンに関する不安は、わたしもずっと継続して持っている。

過去二十年間UKに住んで、これだけ大騒ぎされ、まるで新興宗教の教祖のようにもてはやされている政治家を見たのは、トニー・ブレア以来だ。ブレアはあの通りギラギラとエゴが強力で、もともとロックスターを目指していた人だから、ほんとに教祖になったつもりでパワーをエンジョイできた。が、コービンのような「我」のない普通の人がいきなり国中のピープルから教祖にされたら悲劇的に崩壊しそうな気がするからだ。

けれどもコービンについて熱く語る若い人たちや地べたの労働者たちを見ていると、ここに至る流れは確かにあったと、それを止めることはできなかったと思わずにはいられない。

例えば昨年は『パレードへようこそ』という映画の思わぬ大ヒットがあり、英国では北から南まで国中の映画館で観客がエンドロールで立ち上がって拍手していたそうだが、あの映画でもっとも印象的なのはストライキ中の炭鉱の女性たちが有名なプロ

テストソング「パンと薔薇」を歌うシーンだ。

私たちは行進する　行進する
美しい昼間の街を
百万の煤けた台所が
数千の屋根裏の灰色の製粉部屋が
きらきらと輝き始める
突然の日の光に照らされて
人々が聞くのは私たちの歌
「パンと薔薇を　パンと薔薇を」

私たちは行進する　行進する
私たちは男たちのためにも戦う
彼らは女たちの子供だから
私たちは今日も彼らの世話をする
暮らしは楽じゃない　生まれた時から幕が下りる時まで
体と同じように　心だって飢える

私たちにパンだけじゃなく　薔薇もください（"Bread and Roses"）

ネットに投稿されている誰かが描いたコービンのイラストに、彼が胸に一輪の薔薇をつけている画像がある。（今ではそんなこたあ誰も覚えてないように見えるが）英国労働党のシンボルも実は一輪の赤い薔薇だ。昨日と今日にかけて、わたしは十一人の英国人に「薔薇って何のこと？」と尋ねた。ひとりは「愛」だと言った。もうひとりは「モラル」だと言った。そして残りの九人は「尊厳」だと言った。

日本で左派が「お花畑」と呼ばれることがあるのはじつに言葉の妙というか面白いが、パンが手に入りにくくなる苦しい時代ほど、人間は薔薇のことを思い出す。

今週末、英国でついにその薔薇が再び咲くかもしれない。

長いこと人気のない温室でしか咲かなかったその薔薇が、風雪にさらされる場所に咲いても大丈夫なのか、どうすればわたしたちはそれを枯らさずにいられるのか、これからが本物の正念場だ。

（初出：web ele-king Sep 10, 2015）

花と血の時代

テロルである。

またもや欧州でテロル勃発。今回は規模が大きいぞってんで、すわ戦争か。とゴリラのように拳で胸を連打しているマッチョな人たちがあんまり多いもんだから、なんだか息苦しいわ。と思って、ちょっとまじめな記事を書いたらとんでもないことになり、いやネットのニュースサイトってのは半端ない。間違ってトップページにでも出ようもんなら、違う考え方を持つネット政治運動家の方々から、文体は硬質なのに内容は粘質。みたいな抗議、嫌がらせのメールがわらわらと殺到し、布団を被ってぶるぶる震えていたのですが、実はあの日は同じサイトのエンタメ欄のほうでも、「チャーリー・シーン、ゴムを使わずにセックスしたのは二人だけ」という当方の記事がアクセス一位を達成していたのですが、その辺りを突いてきたメールは一通もなかったので、ちっ。と思いました。

まあ、そんな話はどうでもいいか。

＊

翌日、いつものように子を学校に送り、バス停に立っているとイラン人の友人が歩いて来るのが見えた。

「ハーーイ！」と言ってひしっと固くハグ。って別にそんなことをしなくとも、彼女とは緊縮託児所（昔の底辺託児所）で一緒に働いている仲なのだが、ネットの暗がりの後には生身の人間の感触がうれしい。そのまま峠の茶屋に直行することになった（いやそれが本当に坂の頂上にあるのだ。グリーンティーも出してるし）。

彼女に思わずバス停で抱き着いてしまった理由を話すと、友人はぎゃははっと笑った。

「テロはテロを呼ぶからね」と彼女は言う。

「……ああ」

「やる方もやられる方も傍観する方も、みんなアグレッシヴになる」

「なんかそういう世の中になったよね。やけに暴力的だもん。ここんとこ目にするものが」

「そう？　ニュースの見すぎじゃない？」

「ああ……。やっぱ見ないほうがいいの？」

「いや、そういうのが好きなら見ればいいと思うけど、こっちのが可愛くない？」

と言って、彼女は自分の携帯の待ち受け画像を見せた。イランにいる親戚の赤ん坊の写真だという。何か昭和の頃の日本の写真館で撮られた写真のようなアナクロさがあり、座っている赤子の周囲に花々が美しく咲いていて、ボリウッド映画のスティルまたはピエール&ジルの作品さえ髣髴とさせるクオリティーだ。

「ああ、花だ」と思わずわたしは言った。

「ははは。私の国ではプロが写真撮るとこうなるの。家族写真でも何でも」

「キュート」

と言いながらわたしは別のことを考えていた。

なんか最近、やけに花なのである。

硬質ぶっても粘質な数々のメールが来る原因となった記事もバンクシーの「Flower Thrower」という作品についてのものだし、「パンと薔薇」だの「米と薔薇」だの、われながら最近は花についてばかり書いている。なんかそうなってしまうのだ。

＊

モリッシーがジーンズの尻ポケットからグラジオラスの花を垂らして登場した「トップ・オブ・ザ・ポップス」のザ・スミスの演奏シーンは、UKポップ・カルチャー史のアイコン的シーンと言われる。ザ・スミスには、「花の時代」と呼ばれる時期があった。それは一九八三年から一九八四年春まで（『Mozipedia』より）、ギグでもステージを花で覆ったりしていた。最初にザ・スミスのステージに花が登場したのは、一九八三年二月四日のハシエンダでのステージだったそうだが、花を使った意図は、マンチェスターの音楽シーンとハシエンダを取り巻く「殺菌されたようで非人間的な」環境に対する抗議だったという。「誰もが非人間的で冷たかった。花はとても人間的なものを象徴する。それは自然との調和でもある」「花は僕たちのツアーではPAシステムより重要」とモリッシーは当時語っていた。

当時のUKのおもな出来事を振り返ってみると、非常に暴力的な時代だったことに驚く。炭鉱ストライキにおける労働者と警察の衝突。IRAの爆破テロ。航空機ハイジャック。フーリガン、レイシズム、相次ぐ暴動。人間と人間のグループが常にぶつかって負傷したり死んだりしていた時代だったのだ。そして、その世の騒乱を抑え付け、締め付けることによってさらなる衝突と暴力を生んだ指導者がマーガレット・サッチャーだった。

あの時代もニュースはさぞ物騒で血なまぐさい絵のオンパレードだったろう。花が見たくなる気持ちはわかる。ザ・スミスはステージ全体を花で覆うことで、その渇望をカウンター的ステートメントに変えたのだ。

だが、すぐにファンも花を持ち寄ってステージに投げるようになり、そのうちモリッシーが花々に足を取られて転ぶようになって、ザ・スミスの「花の時代」は終わる。花もけっこう危険なのである。

＊

緑茶をすすりながらイラン人の友人は言った。

「花って言えば、最近、センターであったポピー事件って知ってる？」

「何それ」

「いや、それが大変だったのよ」

と彼女は解説を始めた。センターというのは、わたしと彼女が働いている託児所の本体にあたる場所であり、無職者と低額所得者、移民・難民やホームレスの方々を支援している慈善施設である。


彼女の話を聞くと、こういうことであった。英国では十一月十一日の第一次世界大戦休戦記念日は戦没者記念日でもある。日本は戦没者というと第二次世界大戦を思い浮かべることが多いが、英国は断然、第一次世界大戦だ。第一次世界大戦の激戦地だったフランダース地方に咲く赤いポピーの描写で始まるカナダの詩人ジョン・マクレーの詩が英誌に発表されて大反響を呼び、以降赤いポピーは戦没者たちのシンボルとなった。十一月になると多くの英国人が胸にポピーのバッジをつけて歩いている所以である。

で、あるムスリムの家族が十一月の初めに全員胸にポピーのバッジを付けてわたしたちが働く慈善センターにやって来たのだという。

彼らはパキスタンからの移民で、一家を支えていたお父さんは市役所に勤めていたそうだが、この緊縮のご時世でリストラされ、四人の子供を抱える彼の家庭は我々の施設に相談に来たらしい。

地方の街では、ムスリムが十一月にポピーのバッジを付けているというのは見たことがなかった。が、ここ数年で変わって来ている。ISが世間を騒がせたり、社会の右傾化が進むにつれ、ムスリム・コミュニティーの一部の若者の間で「ポピーを胸につけよう」運動が広まっているのだ。特に若い女性は、赤いポピー柄のヒジャブを頭に巻いたりしているし、アナキスト団体経営のカフェなどに行くと、その運動をサポートする英国人女性もポピー柄のヒジャブを頭に巻いてカウンターで働いている。

くだんのパキスタン人家庭の長女もポピー柄のヒジャブを巻いていたそうで、両親も弟たちもポピーを胸につけてセンターの食堂に現れたという。

すると、食堂の隅に座っていた英国人のおっさんが唐突に激怒して暴れ出し、そのポピーを外せと彼らに怒鳴りつけ、止めに入ったヴォランティアの大学生がおっさんに殴られて軽傷を負うという騒ぎがあったらしい。

「そのおっさんって誰？　わたしも知ってる人？」と聞くと友人は言った。

「M」

「ああMかあ……」

とわたしは放心してため息をついた。

Mというのは元パンク&アナキストの六十代の爺さんなんだが、鬱を認知症でこじらせているという噂があり、言動がここのところ不安定だ。

「で、その一家はどうなったの？」と尋ねると友人は言った。

「いやさすがに、それっきり来てない」


ポピー問題は、今年は特に悩ましかった。女優のシエナ・ミラーが英霊追悼週間にポピーのバッジをつけずにテレビに出たというのでバッシングされ、英霊記念日式典に労働党首として出席したジェレミー・コービンのお辞儀の角度が浅かったとかで、彼の頭部と胴体の角度を測って一〇度だ一五度だと分析していたメディアもあった。こうしたムードを受け、キャメロン首相も自分の写真にフォトショップ加工でポピーバッジを貼らせていたという疑惑が浮上していたし、一番びっくりしたのは、ブライトン市内のある公立小学校のフェンスに直径二メートルはあろうかという真っ赤なプラスティックのポピーが複数出現し、校庭上空に英国旗が、ってそれも一本や二本じゃないのである。『幸福の黄色いハンカチ』状態でユニオンジャックがびっしりはためている様（先週からこれはフランス国旗に変わっている）をバスの窓から見たときには「まじかよー」と思った。あんなにキッチュ（ミラン・クンデラが言う意味での）な追悼の場をわたしは見たことがない。

「ポピー問題は気が重いね。あれも一応、花なんだけど」

とわたしが言うと、十代の頃に国が戦時中だった友人は表情ひとつ変えずに言った。

「あれは花じゃなくて、血でしょう」

一面に咲いた赤いポピーの中を歩きながら戦没者を追悼する女王の写真が頭に浮かんだ。

欧州は花と血の時代に突入したのかもしれない。

（初出：web ele-king Nov 26, 2015）

バンクシー、バーチル・そして二〇一六年

バンクシーが発表したグラフィティーがまた話題になった。

それはフランスのカレイにある移民・難民キャンプの壁に登場した、スティーヴ・ジョブズが難民になってアップルのコンピュータを片手に歩いている絵だ。

ジョブズの実の父親は政治的理由でシリアから米国に渡った移動民だった。で、皮肉だと指摘されているのは、現在の欧州への移民・難民の大移動をもたらせた原因の一端は iPhone に代表されるスマートフォンにあると言われていることだ。移民・難民は皆スマートフォンで情報を入手し、連絡を取り合う。

「綺麗でクール」と観光者が言う英国に、見捨てられ、荒廃したアンダークラスの街がポケットのように存在しているように、世界にもずず暗いポケットがある。その紛争や暴力が終わらない地域の若者たちが、ネットを介して世界にはもっと豊かで平和で自分が能力を発揮できそうな場所があることを知る。そして大移動が起こる。難民

になって移動しているジョブズの絵は、まるで「だよね。僕でもそうするよ」と言っているようだ。

例えばUKの大衆音楽である。ビートルズ、セックス・ピストルズ、ザ・スミス、オアシス。英国ロックのレジェント、これぞブリティッシュ、と思われているバンドはすべてアイルランド移民の子供たちが率いたバンドである。ジョン・レノンも、ジョン・ライドンも、モリッシーも、ノエル・ギャラガーも、経済移民がいなければUKには生まれなかった。

人道の側面から難民受け入れは大事、とか、少子高齢化社会の労働力を補うために移民が必要、とか言われているようだが、わが祖国ではもっとも肝要な点が議論されていないと思う。

厳粛なファクトとして、移民は一国の文化や思想や経済や技術開発に国内の人間にはないDNAや考え方を吹き込んで、その国を進化させる。

閉塞感、閉塞感と何十年も言い続けている国は、治安の良さと引き換えにスティーヴ・ジョブズやビートルズを生み出すチャンスを捨てている。

＊

話は変わるが、ジュリー・バーチルという女性ライターがいる。

十七歳でNMEの名物ライターになり（『Never Mind The Bollocks』の伝説の新譜レヴューは彼女のものだ）、その後は数々の高級紙・雑誌で政治、文化、ファッションなど広範な分野でコラムを書き続け、英国の女性ライターで最高の執筆料を誇る書き手になった人でもある。

この言いたい放題、やりたい放題のビッチ系フェミニストは、二度結婚して二人の子供をそれぞれの父親のもとに残して離婚した。「英国最低の母親」を自ら名乗るバイセクのアナキーなライターだが、根底には古き良き時代の英国のワーキングクラス・スピリットがある。というのが、わたしが二冊の拙著で書いたところだった。

が、今年、そんなバーチルの人生に異変が起きた。

彼女の息子が、六月に自殺したのだ。

「英国最低の母親」は、次男ジャックの死後、『The Stateman』誌にコラムを発表した。

二番目の夫との離婚は、彼と一緒に立ち上げた会社の女性社員とバーチルが恋に落ちたのが原因だったため、夫はそのことを裁判で強調し、バーチルは「母親失格者」の烙印を押されて息子の親権を夫に奪われた。「子供を産んでは捨てる女」と呼ばれてきたバーチルは、実は親権争いで戦って負けたのだった。が、週末や学校の休みには息子に会うことを許されていたそうで、バーチルは、故郷ブリストルの近くにあるリドに息子を連れて行ったらしい。

英国のリドとは屋外プールのことだ。イタリアの湖畔のリゾートに憧れてもそう簡単には行けなかった時代の英国の人々がそれっぽい雰囲気を味わうために作ったレジャー施設である。一九三〇年代には英国各地に多くのリドが作られ、戦後も労働者階級の憩いの場として愛されたが、時代の流れと共に廃れ、閉鎖が続いた。

バンクシーが今夏ディズマランドを開いたのも、そんな老朽化したリドの一つだった。

そこには「パンチ&ジュディー」をもじった「パンチ&ジュリー」という展示物があった。これはバンクシーがジュリー・バーチルに捧げた展示物であり、バンクシーから協力を要請されたとき、彼からバーチルに送られてきたメールにはこう書かれていたそうだ。

「あなたは、僕にブリストル出身だということを誇りに思わせた最初の人物です」

バーチルは息子が自殺した三か月後、ディズマランドを見に行った。

その場所こそが、実は彼女が幼い頃の息子を連れて来ていたブリストル近郊のリドだった。

バーチルはこう書いている。

「一つ一つアトラクションを見て回った。死にかけたおとぎ話のプリンセスからカモメに攻撃される日光浴中の人々まで。私の現代版『パンチ&ジュディー』（バンクシーはそれを「パンチ&ジュリー」と呼んでいた）では、パンチが、ソロモンの審判のグロテスク・ヴァージョンのように自分たちの赤ん坊を真っ二つにちょん切ってやろうと提案していた。本当に、そこは私の夢を現実にしたような場所だった。こうして私の人生の夏は終わった」

バーチルは、『サンデー・タイムズ』に寄稿した記事で、息子が十年ほど前からメンタルヘルスの問題を抱え、鬱病と薬物依存症と闘っていたということを明かした。そしてブライトンで息子と一緒に暮らしていた時期もあったことを明かし、こう書いている。

「メンタルヘルスの問題を抱えた人間のケアは、足を骨折した人の世話をするのと同じではない。足の骨が折れた人の世話をしたからと言って、自分の足も折れることはない。だが、メンタルヘルスにはリスクが伴う。自分も病んでしまうのだ」

「生涯を通じて彼のライフ・コーチであり、キャッシュマシーンであり、専属メイドであり続けることに私はもう耐えられなかった。ついに私は、自分自身を守るために、溺れそうな人間が自分にしがみついている指を剝ぎ取った。彼が自殺を選んだ時、私は彼にはもう何年も会っていなかった」

バーチルは自分の息子について、七年前に「私には二人の息子がいます。一人とは交流はありませんが、もう一人とは一緒に住んでいます。ジャックといいます。彼は私のよろこびであり、アキレス腱です」とインタヴューで語ったことがあった。

少しでも物を書く人なら知っているだろう。自分の生活をすべて晒して書いているように見える物書きにも、絶対に書かないことがあり、実は本人にはそれが一番大きなことだったりする。自分を本当に圧迫していることは、勇ましくキーを叩くネタにはならない。

バーチルがそれを書けるようになったのは、それが終わったからだろう。彼女の人生が秋に突入したというのは、そういうことだ。

＊

二〇一五年は秋も終わり、冬が来て、もうすぐ終わろうとしている。

わたしの世界は老いているのだということを、亡くなったあの人とこの人にも今年はクリスマスカードを書く必要はないのだと気づくとき、思い知らされる。

それに、わたしの世界もいよいよ病んできた。が、これはたぶんわたしだけではない。今どきの先進国に生きて、メンタルヘルスの問題で溺れそうな人間がしがみついてくる指の一本や二本、引き剝がしたことのない人のほうが珍しい筈だ。

今年（二〇一五年）、緊縮託児所（ex 底辺託児所）の子供たちを見ていて痛切に思ったことがある。

今ではマイノリティーになった地元の英国人の子供たちより、マジョリティーになった移民・難民の子供たちのほうが生き生きとして伸びやかなのだ。

同じ貧乏人でも、移民の子のほうが精神的にも家庭環境的にも健康で、地元の貧民街の子供のように病んだ部分がなく、明るく潑剌としている。彼らは明日を信じている。

オックスフォード大学の人口統計学の教授によれば、二〇六六年までには英国人は英国におけるマイノリティーになっているそうだ。

老いて、病んで、減って行く人びとと、若々しく、エネルギーに溢れ、増えて行く人びと。

その数のバランスが大きく変動している時なのだから、二〇一五年がしっちゃかめっちゃかだったのも道理である。

二〇一六年は「UNCERTAINTY」の年だとジャーナリストがニュース番組で予測していた。

つまり、さらにしっちゃかめっちゃかということである。アナキー・イン・ザ・UKどころか、アナキー・イン・ザ・ワールドだ。確実とか平穏とか秩序とか、そんなものはもう戻って来ない。

＊

大空をたゆたう雲よりも、わたしは地に根を張る草になりたい。

（初出：web ele-king Dec 21, 2015）

単行本のあとがき

ネットでものを書きはじめたのは二〇〇四年のことである。その後、ゴシップライターになったり、子供ができたり、底辺託児所で働きはじめたり、連合いが癌になったり、保育園で働くようになったり、いろいろあった。

同様に、英国社会にも、いろいろあった。

トニー・ブレアから続いた労働党政権が完全に死に絶え、保守党政権が誕生し、ブロークン・ブリテンが社会問題となり、学生デモや暴動が発生し、ロンドン・オリンピックが開催され、英国王室人気が異様な盛り上がりを見せた。

が、その間、もっとも劇的な変化を遂げたのは、実はわたしの祖国ではないかと思っている。

というのも、五年ぐらい前までは「UKは凄いな」、「信じられない」、「作ってるだろ」というようなコメントや罵詈雑言をネット上で目にしたにも拘わらず、最近では「よその国の話だとは思えない」という感想をいただくからである。

あの頑なに（なのか惰性でなのか）トラディショナルな秩序を維持し、なんだかんだ言って平和だったわが祖国に、いったい何が起こっているのであろうか。

ブロークンなどというドラマティックな言葉のイメージが一番似合わないはずだった、いつも薄ぼんやりしてにやにやしていたあの国に、いったい何が。

と、わたしが日々煩悶し憂国しているかというと、別にそんなことはない。毎日食って飲んで寝て、働いているだけだ。淡々といつものように生きる人間の背後にある風景や時代は変わる。が、庶民は生きるだけだ。

わたしには、その時代性の部分のみを取り出して、ああである、こうである、と評論できる頭はないので、自分も地べたの庶民として生き、庶民として生きている人びとのことを書くしかない。今後もたぶんそうである。

時には憤慨しながら、ほとんどの場合酩酊しながら、行き当たりばったりネット上で九年間も書き殴ってきたものが、こうして野田努さんによってセレクトされ、ひとつの方向性を与えられて編集されたものを見ると、書いた本人が一番吃驚するほど繋がっている。

というか、背景や世相が変わっても、人間とはそんなに変わるものではないのだ。

ブリット・グリット（Brit Grit）というわたしの好きな言葉がある。

ネットで見つけたある写真にこのタイトルがついていて、それは野外でピクニック・コンサートを楽しんでいる英国人の群れを背後から撮ったものなのだが、全員が傘をさしていて足元はびしょ濡れ。という構図に思わず笑ったが、「英国人の逆境を生き抜く気概」を意味するこの言葉は、ＵＫの真骨頂である。

どんなに状況がひどくとも、腐っていようと、救いがなかろうとも、彼らは生きている。クソのような逆境をクソと罵りながら逞しく生き抜いている。

わたしが英国について書くのをやめられないのは、たぶんこのブリット・グリットに魅せられているからで、そこに何か懐かしいものを感じるからだ。

ジャパニーズ・グリットというのも、無いようでいて、ある。

身近なところで言えば、うちの親父のような日本人の生へのスタンスがそうであるし、劇的に変わっていく時代には、そのグリットが再び光を放ちはじめるだろう。アナキーな社会というのが、ロマンティックな革命家が夢見たような世界ではなく、全てのコンセプトや枠組が風化した後の無秩序&無方向なカオスだったとすれば、そのアナキーを生き抜く人間に必要なのはグリットだ。

ファッキン・ノー・フューチャーと罵りながら、先に踏み出せるグリットだ。

そんなことを考えているわたしの前に広がっている九月の空は、どんより沈みきった曇天である。

ざばざば雨が降り出してもおかしくない。

そしてお約束のように、暴風も。

ブレイディみかこ

文庫版あとがき

「吹けよあれよ風よあらしよ」というのは同郷の大先輩、伊藤野枝の言葉です。なにげにそれを意識したような、しかし一ランクも二ランクもしょぼい表現で終わっていた単行本あとがきの結びの文章をいま読み終えて苦笑しています。

わたしは依頼を受けたらつい何でもへらへら書いてしまう節操のない人間のため、いろんな題材を扱った様々な本を出していますが、実は本当に書きたいことはむかしから頑固なほどに一つしかないな。とこの本のゲラを読み終えたときにわかりました。

それは、どうやら「階級」のようです。

呪いのようにこのテーマから逃れられないのは、心理学的に言えばわたし自身の幼少期や人格形成期の経験があるのでしょうが、初期のエッセイになるほどそれが色濃くでています（ちなみに、ここで言う「呪い」とは必ずしも悪いことを意味しませんし、ほんの少しのプライドも混じっています)。

ジェンダーにしろ人種にしろ、多様性の問題はトレンドに乗りやすいものです。レインボーカラーのTシャツを着たいろんな人種のモデルたちが笑っていて「これからは多様性の時代」というスローガンを見出しにしたファッション誌の表紙。なんてのは容易に想像できますし、実際に似たようなものは宣伝写真にしろ何にしろ、よくありました。

しかし、他方で「これからは階級の時代」「貧困に目を向けよう」なんてスローガンを表紙に躍らせているファッション誌があるでしょうか。少なくともわたしは見たことがありません。

なぜかと言えば、階級と貧困はずっとむかしから変わらずにそこにあるからです。だけどわたしにとっては、自分が聞いてきた音楽と密接に結びついているのはこちらのほうです。

労働者階級に生まれたということは恥ずべきことでも、格好悪いことでもないのだとわたしに教えてくれたのが英国の音楽だったからでしょう。貧乏人はただダサくて情けない存在なのだと言われていた国の地方の町の少女にとり、それは海の向こうから来た福音でした。

わたしにとって音楽が政治と切り離せないものであるのもそのせいです。

音楽は政治的である必要も、政治的になる必要もなく、いつだって政治的だとわたしは思っています。

二〇二二年七月

ブレイディみかこ

解説　ブレイディみかこの punk encyclopedia

平井玄

「底辺託児所」には虚を突かれた（本書の姉妹編、『ジンセイハ、オンガクデアル　LIFE IS MUSIC』）。

え！　なんだなんだ。この餓鬼どもは。

ジャリというか、ついこの間この世に出現したばかりの幼児が、とんでもない口を利く。子どもの言葉は釣ったばかりの生魚。箱から飛び出してピンピン跳ねている。もう生臭い。その冷酷でバカヤロウな中身は例えばこうだ。

四歳のルークが言う。

「人生はひとつかみのウンコ。うちの父ちゃんがいつも言ってる」

じつに正しい。

人生はキャリアや家や車ではない。安全安心でも生涯年収でもない。死ぬまでひたすら出し続ける糞だ。父ちゃんは『ユビュ王』を書いたアルフレッド・ジャリなのか。いや。アル中で無職の生活保護受給者である。まあジャリも似たようなものか。

俺たちにとっちゃ人生とは、今日の時給と交通費。

これが糞なのである。シュールや不条理の文学的先祖ならともかく、四歳のジャリに言われたくない。底辺託児所にはこんなセリフを吐く子どもがごろごろ。赤ん坊へのアイスピックのような罵《のの》り。親から聞いた移民フォビアの口移し。どれもこれも生まれてきたことへの呪いに聞こえる。保育士みかこの手と耳と鼻がそれを生の「箴言」としてつかみ出すのである。さながら非情な神々が跳梁する旧約聖書申命記だ。

読者はこの文庫本（本書『オンガクハ、セイジデアル　MUSIC IS POLITICS』）をどこで読むのだろうか？

派遣先のトイレか。昼休みの公園ランチタイムか。それとも在宅仕事の合間に一息か。寂れた飲み屋の片隅でビール片手なのか。あるいは深夜のキッチンか。非常勤講師の控室や大学院の研究室かもしれない。

どこであろうと、いきなり頭が爆発する。

いいも悪いもない。生爪を剝がしたようなリアルがぶち撒けられるからだ。

ロンドンから真っすぐ南に七十三キロ。車で一時間四十五分ほど走るとイギリス海峡にぶつかる。リゾート都市ブライトン。話の舞台はＬＧＢＴＱの人びとが多く住み、パーティータウンと喧伝される華やかな街の裏側によどむ貧乏人たちの一角である。

生活保護を打ち切られたホームレスが糞尿垂れ流しで横たわる。若い失業者はキレた眼をフードに隠す。喰いつめた元祖パンクスが福祉を切った国家を呪う。かと思えば、ブラックの子を連れた十代のホワイト母たちが道を横切っていく。皆さん、貧乏人かつ生活保護受給者。かなりのアル中かジャンキーである。

若い世代だけじゃない。かつて託児所にいた子に街で出くわす。ハイティーンになった彼女は旧パンク・ヒロインの汚れたTシャツを着て車椅子を押していた。乗っていたのはThe Slitsのギタリストだった母。国に金をもらってアナかよ！　とおっさん世代を笑うフードの若造は、それが近未来の自分とは知らない。金持ちパンクオヤジ、ジョン・ライドンになったジョニー・ロットン。The Smithモリッシーの毀誉《きよ》褒貶《ほうへん》。トレイシー・ソーンの低い声。ユーリズミックスのアニー・レノックス（かっこいい）に似た託児所所長のクールネス。イスラム革命から亡命した保育士が見てきたイギリス。一九七〇〜八〇年代が二〇一〇年代に重ねられてイギリス貧乏人社会が汚れたホログラムになる。

この二冊はブレイディみかこの出発点だが、同時にエンサイクロペディアなのである。

「思想」は稀に、ほんとうに稀にぶ厚い書物にも書いてあるが、ここでは道ばたにただで転がっている。レイシスト野郎やネオリベ・サラリーマン、小じゃれたリベラルに絡まれて困ったときには、このパンク百科事典を開いて頭をクールダウンしよう。ここには貧乏人の叡智が詰まっている。

「虚を突く」とは思いもかけない場所に穴を開けること。

これは良質な海外ジャーナリストの仕事である。

昭和初期については松本重治の『上海時代』。戦前戦中については笹本駿二『第二次大戦前夜』や堀田善衞『上海にて』といった海外からの報告がある。これはみな事後だから書けたもの。戦後も藤村信や外岡秀俊のリアルタイムで深みのあるレポートが読まれてきた。古くは幸徳秋水や荒畑寒村や大杉栄も国外からの短信を送っている。インターネット以前には、これらの言葉が島国の檻から抜けようとする者たちに灯台の役割を果たしてきたのである。T・K生こと池明観《チ・ミョングァン》の『韓国からの通信』は紫外線のブラックライト。逆光でこの列島の真っ黒くて見えない部分を照らしてくれた。

ところがだ。

みんな男性で新聞記者や作家や大学教授、あるいは亡命逃走した革命家である。

ブレイディみかこはロンドンに滞在する大新聞の特派員ではない。福岡からイギリスにやって来た貧乏移民。地方都市の託児所で働く高卒の保育士である。

底辺のアジア系移民女が旧大英帝国の没落を愉しむ。これが読む者の虚を突く。内臓にピアスの穴を開ける。文句あるか！　と言って悪ければ、音楽の中に聴きこむ。その音楽さえ中産階級化して衰弱するのを愉しんじゃうのである。

ガンジーに「ぞっとするほど不快」と言ったチャーチル。この山高帽を被った植民地主義者のリアリズムを称える吉田茂や白洲次郎のファンは多い。そういう大人の方々は時給いくらの糞を喰らったことなどないのである。

「人生は音楽だ。音楽は政治だ」と伝法に言い切り、「階級」と啖呵を切るブレイディみかこに「No objection!」異議なしと言おう。

本書は二〇一三年十一月、株式会社Pヴァインより刊行された『アナキズム・イン・ザ・UK――壊れた英国とパンク保育士奮闘記』の前半の章「Side A：アナキズム・イン・ザ・UK」を第1章とし、第2章は「web ele-king」から収録したものです。

ジンセイハ、オンガクデアル　ブレイディみかこ

貧困、差別。社会の歪みの中の「底辺託児所」シリーズ誕生。著者自身が読み返す度に初心にかえるという珠玉のエッセイを収録。

花の命はノー・フューチャー　ブレイディみかこ

移民、パンク、LGBT、貧困層。地べたから見た英国社会をスカッとした笑いとともに描く。200頁分の大幅増補！　推薦文＝佐藤亜紀　（栗原康）

日本の気配　増補版　武田砂鉄

「個人が物申せば社会の輪郭はボヤけない」。最新の出来事にも、解決されていない事件にも粘り強く憤る。その後の展開を大幅に増補。（中島京子）

見えない音、聴こえない絵　大竹伸朗

東京都現代美術館での「全景」展、北海道の牧場での個展、瀬戸内直島の銭湯等個性的展示の日々。新作木炭線画30点収録。（原田マハ、石川直樹）

ニッポンの小説　高橋源一郎

わかりやすく文学の根源的質問に答える。「言葉とは？」「日本近代文学とは？」いま明らかにされる文学百年の秘密。（川上弘美）

奴隷のしつけ方　マルクス・シドニウス・ファルクス　ジェリー・トナー解説　橘明美訳

奴隷の買い方から反乱を抑える方法まで、古代ローマ貴族が現代人に向けて平易に解説。奴隷なくして回らない古代ローマの姿が見えてくる。（栗原康）

現実脱出論　増補版　坂口恭平

「現実」それにはバイアスがかかっている。目の前の「現実」が変わって見える本。文庫化に際し一章分「現実創造論」を書き下ろした。（安藤礼二）

人生をいじくり回してはいけない　水木しげる

水木サンが見たこの世の地獄と天国。人生、自然の流れに身を委ね、のんびり暮らそうというエッセイ。推薦文＝外山滋比古、中川翔子　（大泉実成）

紅一点論　斎藤美奈子

「男の中に女が一人」は、テレビやアニメで非常に見慣れた光景である。その「紅一点」の座を射止めたヒロイン像とは⁉　（姫野カオルコ）

おまじない　西加奈子

さまざまな人生の転機に思い悩む女性たちに、そっと寄り添ってくれる、珠玉の短編集、いよいよ文庫化！　巻末に長濱ねると著者の特別対談を収録。

山本太郎　闘いの原点　山本太郎
脱原発、脱貧困のために闘い続ける山本太郎の原点。高校時代にデビューし、俳優となり、脱原発活動家、国会議員として活動するまで。（推薦文　内田樹）

アフガニスタンの診療所から　中村哲
戦争、宗教対立、難民。アフガニスタン、パキスタンでハンセン病治療、農村医療に力を尽くす医師と支援団体の活動。（阿部謹也）

スロー・ラーナー［新装版］　トマス・ピンチョン　志村正雄訳
著者自身がまとめた初期短篇集。「謎の巨匠」がみずからの作家生活を回顧する序文を付した話題作。驚異に満ちた世界。（高橋源一郎、宮沢章夫）

ブコウスキーの酔いどれ紀行　チャールズ・ブコウスキー　中川五郎訳
泥酔、喧嘩、二日酔い。酔いどれエピソードと嘆き節がぶつかり合う、伝説的カルト作家による笑いと涙の紀行エッセイ。（佐渡島庸平）

同日同刻　山田風太郎
太平洋戦争中、人々は何を考えどう行動していたのか。敵味方の指導者、軍人、兵士、民衆の姿を膨大な資料を基に再現。（高井有一）

夢を食いつづけた男　植木等
俳優・植木等が描く父の人生。義太夫語りを目指し、のちに住職に。治安維持法違反で投獄されても平和と平等のために闘ってきた人生。（栗原康）

素敵なダイナマイトスキャンダル　末井昭
実母のダイナマイト心中を体験した末井少年が、革命的野心を抱きながら上京、キャバレー勤務を経て伝説のエロ本創刊に到る仰天記。（花村萬月）

バーボン・ストリート・ブルース　高田渡
流行に迎合せず、グラス片手に飄々とうたい続け、いぶし銀のような輝きを放ちつつ逝った高田渡の酔いどれ人生、ここにあり。（スズキコージ）

酔っぱらいに贈る言葉　大竹聡
古今東西の小説家、落語家、タクシー運転手等が残した酒にまつわる約五十の名言をもとに、著者が酒の底なしの魅力について綴る。（戌井昭人）

現代マンガ選集
破壊せよ、と笑いは言った　斎藤宣彦編
作品の要素・手法からジャンルへと発展、確立する過程を石ノ森章太郎、赤塚不二夫など第一人者を筆頭に重要作を収録し詳細な解説とともに送る。

ちくま文庫

オンガクハ、セイジデアル
——MUSIC IS POLITICS

二〇二二年九月十日　第一刷発行

著　者　ブレイディみかこ
発行者　喜入冬子
発行所　株式会社　筑摩書房
東京都台東区蔵前二―五―三　〒一一一―八七五五
電話番号　〇三―五六八七―二六〇一（代表）
装幀者　安野光雅
印刷所　三松堂印刷株式会社
製本所　三松堂印刷株式会社

ISBN978-4-480-43810-2　C0195